ロンドンから行く田舎町

Exploring English Villages

Bourton-on-the-Water
Chipping Campden
Bibury, Broadway
Castle Combe
Burford
Kelmscott
Bakewell
Castleton
Ashbourne
Buxton

Hathersage
Wells-next-the-Sea
Long Melford
Lavenham
Newmarket
Orford
Rye
Dorchester
Lyme Regis
Arundel

葉社

目次

PLUSH
MAPPOWDER
HAZELBURY BRYAN
PIDDLETRENTHIDE
DORCHESTER

はじめに

あでやかな緑の絨毯の上で草を食む羊たち。庭には花が咲き乱れる石造りの家並み。子供の頃に絵本や童話の中で出会って以来、いつまでも忘れられない、英国のカントリーサイドの風景です。ロンドンを後にしてほんのわずかな時間の内に、もうそこにはこうした緑豊かな田園が辺り一面に広がります。

最近、ロンドンを訪れる旅行者からは、そんな英国の田舎に一度は足を延ばしてみたい、との希望が数多く聞かれます。そんな思いに少しでも応えようと、本書は企画されました。

『ロンドンから行く田舎町』は、魅力的な英国のカントリーサイドを一冊の本にまとめたものです。取り上げたコッツウォルズ、ピークディストリクト、イーストアングリア、南イングランドの4つのエリアには、異郷の地でありながら旅人を優しく迎えてくれる、さまざまな田舎町の姿があります。それらの魅力を、写真とイラストと紹介文で綴りました。英国が始めての人でも分かりやすいように、ロンドンからの行き方、田舎町の詳細な地図、そして巻末には具体的な資料を補足してあります。

さあ、悠久の時の流れの中に佇む英国の田舎町を、のんびりと旅してみましょう……。童話の中の一風景は、もう夢ではなくなるはずです。

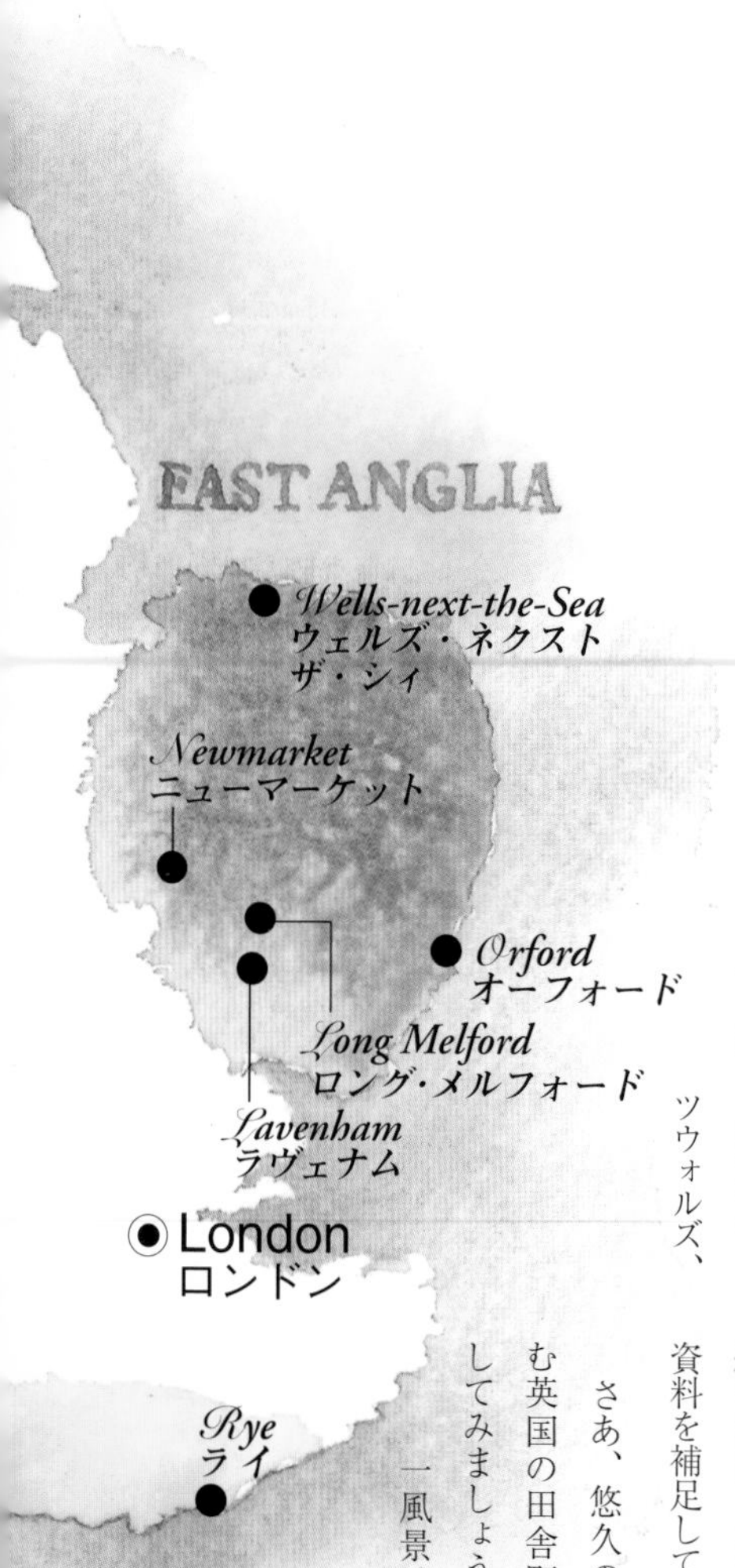

PEAK DISTRICT
Castleton
カースルトン
Hathersage
ハザセッジ
Buxton
バクストン
Bakewell
ベイクウェル
Ashbourne
アッシュボーン
COTSWOLDS
Chipping Campden
チッピング・カムデン
Broadway
ブロードウェイ
Bourton-on-the-Water
ボートン・オン・ザ・ウォーター
Burford
バーフォード
Bibury
バイブリー
Kelmscott
ケルムスコット
Castle Combe
カースル・クーム
SOUTH ENGLAND
Arundel
アランデル
Lyme Regis
ライム・リージス
Dorchester
ドーチェスター

コッツウォルズ

Cotswolds

ボートン・オン・ザ・ウォーター	BOURTON-ON-THE-WATER
チッピング・カムデン	CHIPPING CAMPDEN
バイブリー	BIBURY
ブロードウェイ	BROADWAY
カースル・クーム	CASTLE COMBE
バーフォード	BURFORD
ケルムスコット	KELMSCOTT

BOURTON-ON-THE-WATER

ボートン・オン・ザ・ウォーター

「コッツウォルズのベニス」と謳われる水の風景に
時間さえもゆっくり過ぎる。

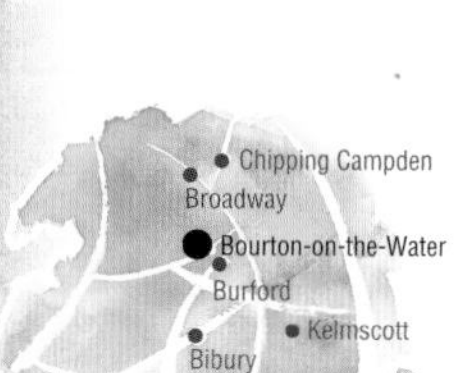

美しき田園の代名詞、コッツウォルズ

「イングランドの美しい田園風景が見たい？　それならコッツウォルズに行きなさい」ロンドンのティールームで隣り合わせた白髪の紳士は、一瞬のためらいもなく断言した。

　ロンドンから北西へ約１００km余り、大学町オックスフォードを過ぎるあたりからはじまる肥沃な田園地帯、それがコッツウォルズ。果てしなく続く緑の牧羊地に、愛らしい小さな村が点在する、そこはいわば、イングランドの心のふるさとと呼んでもいい。木漏れ日の降りかかる林間道をゆくと車窓に浮かぶ、色とりどりの花に埋もれた、お菓子の家のような農家が数軒。街の喧噪は、はるかバックミラーの彼方に置き捨てて、イングランドのカントリー、スタイルの魅力にひたるのが、コッツウォルズでの正しい休日の過ごし方。忙しい都会暮らしの英国人がここにウィークエンドホームを持つのも頷ける。

一幅の絵のような小川の眺め

コッツウォルズのほぼ真ん中に位置するボートン・オン・ザ・ウォーター、美しい村々を誇るこのあたりでも一、二と言われる景観である。奇妙な村の名は、一度訪れたならすぐに納得するだろう。村の中央を流れる小川、ウィンドラッシ川（River Windrush）の、くるぶしをわずかに越えるほどの浅い水面に、立派な柳がゆらゆらと影をつくっている情景は、それほど忘れがたい。小さな石橋が５つ。鴨のつがいが、まだふんわりとした綿毛の子鴨の隊列を率いて、くぐってゆく。川沿いのコテージの多くはティールームやレストランで、前庭の芝生にしつらえた真っ白なガーデンチェアでは、足もとの大きな犬とともに、日光浴を兼ねた、しばしのうたた寝を楽しむ人もいる。

　一方、村の通りのそこここには、都市の大博物館とは異なる、こだわりに満ちた小さなミュージアム、あるいは、ナチュラルな田舎風の暮らしのアイデアでいっぱいのギフトショップが旅人を招いている。

ゆらゆらと空の影をゆらして、どこまでも流れるウィンドラッシ川。

❶The Cotswolds Motor Museum
コッツウォルズ・モーター・ミュージアム
The Old Mill, Bourton-on-the-Water GL54
☎01451-821255 10.00-18.00 (3月-11月)

所狭しと並ぶローバーやオースチンは、30年にわたるマイク・キャバナー氏のコレクション。

❷The Cotswold Perfumery
コッツウォルド・パフューマリー
Victoria St. Bourton-on-the-Water GL54
☎01451-820698 9.30(日曜10.30)-17.00

香水の誕生から、さまざまなブランドが生まれるまでの歴史と逸話を紹介。右は、女性たちの心をとらえた香水ラベルのディスプレイ。

❹The Rose Tree ローズ・ツリー
Riverside, Bourton-on-the-Water GL54
☎01451-820635 18.00-21.30 無休

大きな木の扉は、納屋として使われていた建物の名残り。

バーカウンターもある広いレストランは、絶好のロケーションで、いつも賑わっている。

❸Cotswold Pottery コッツウォルド・ポタリー
Clapton Row, Bourton-on-the-Water GL54
☎01451-820173 10.00(日曜 10.30)-17.00

太陽の光りが降りそそぐ明るい店内には、全て手作りの陶器が並んでいる。和食器に似た色合いの小皿は、おつまみ入れによいかも。

コッツウォルズの黄昏は、ゆるやかに過ぎてゆく。

❺Small Talk Gift Shop
スモール・トーク
The Old Forge, High St.
Bourton-on-the-Water GL54
☎01451-821596 10.00-17.00 無休

英国各地のクラフトデザイナーによる、ユニークなアイデアの雑貨でいっぱいのギフトショップ。店のオーナーが、繊細な手作りの品だけを集めたというだけあって、どれも個性が光るものばかり。カラフルな靴がちょこんとのったギフトボックスは、可愛いデザインが受けている。

個性派ぞろいのミュージアム

昔の水車小屋を改造した、モーターミュージアム（The Cotswolds Motor Museum）。所狭しと置かれた数十台ものクラシックカーに加え、壁一面を埋めてなお溢れる、色褪せ、赤錆びた昔の広告看板。個人コレクターの長年の努力の結晶ときくと、驚嘆の念はいよいよ深い。グラマラスな流線型に贅沢な時代の記憶が香るジャガーを前に、「ご覧なさいな。ベスの乗っていた車よ。このおかしなヘッドライト、よーく覚えてますとも！」興奮の面持ちの老婦人の朗らかな声が響いた。

ヴィクトリア通り（Victoria st.）の自家製造の香水工場（The Cotswold Perfumery）もそんなひとつ。花たちが艶やかな色姿とともに、その香りも競い合う小庭園で休憩。目を閉じるとどこかの花畑にいる気分。

夕闇に染まる散歩道

英国の初夏の夕暮れは、涼やかにして長い。早めのディナーの後は、川沿いの遊歩道をもう一度ゆっくり歩いてみる。日が落ちたばかりの空はまだ、水彩絵の具を溶いたように透明な藍色。古びた民家の窓辺をはう蔓薔薇がぼんやりにじんでみえる。昼間の賑わいが引いた村は、普段の顔に戻って静かな眠りにつこうとしている。石橋を渡ろうとしたら、不意の水音。寝惚けた水鳥が無粋な散歩者に抗議しているのかも。

何となく人恋しい気持ちになって、もれる灯りに笑い声が混じる橋のたもとのパブをめざす。一日の仕事を終えた羊飼いの農夫と並んで、ハーフパイントのグラスを傾けつつ、村の噂話に聞き耳をたててみようか。

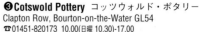

❼The Dial House Hotel

ダイヤル・ハウス・ホテル
The Chestnuts, High St.
Bourton-on-the-Water GL54
☎01451-822244
FAX 01451-810126

コッツウォルドストーンの石壁の黄色が目印。小さな入り口やラウンジ、カントリースタイルのカーテンがかかった部屋は、イギリスの家庭風。

❻The Old Manse Hotel

オールド・マンス・ホテル
Victoria St.
Bourton-on-the-Water GL54
☎01451-820082
FAX 01451-810381

ウィンドラッシ川岸に建つホテル。部屋の窓からの眺めは、忘れ難い絶景。別館にある屋根裏部屋は、こじんまりとして静か。

ロンドンからの行き方

【鉄道】ロンドンのパディントン駅から、オックスフォード駅で乗り換えて、最寄りのモートン・イン・マーシ駅まで約1時間20分。駅からタクシーで村まで約15分。

【車】M40でオックスフォードへ、そこからA40でバーフォードを通過、A424、A429で村まで。ロンドンから約2時間20分。

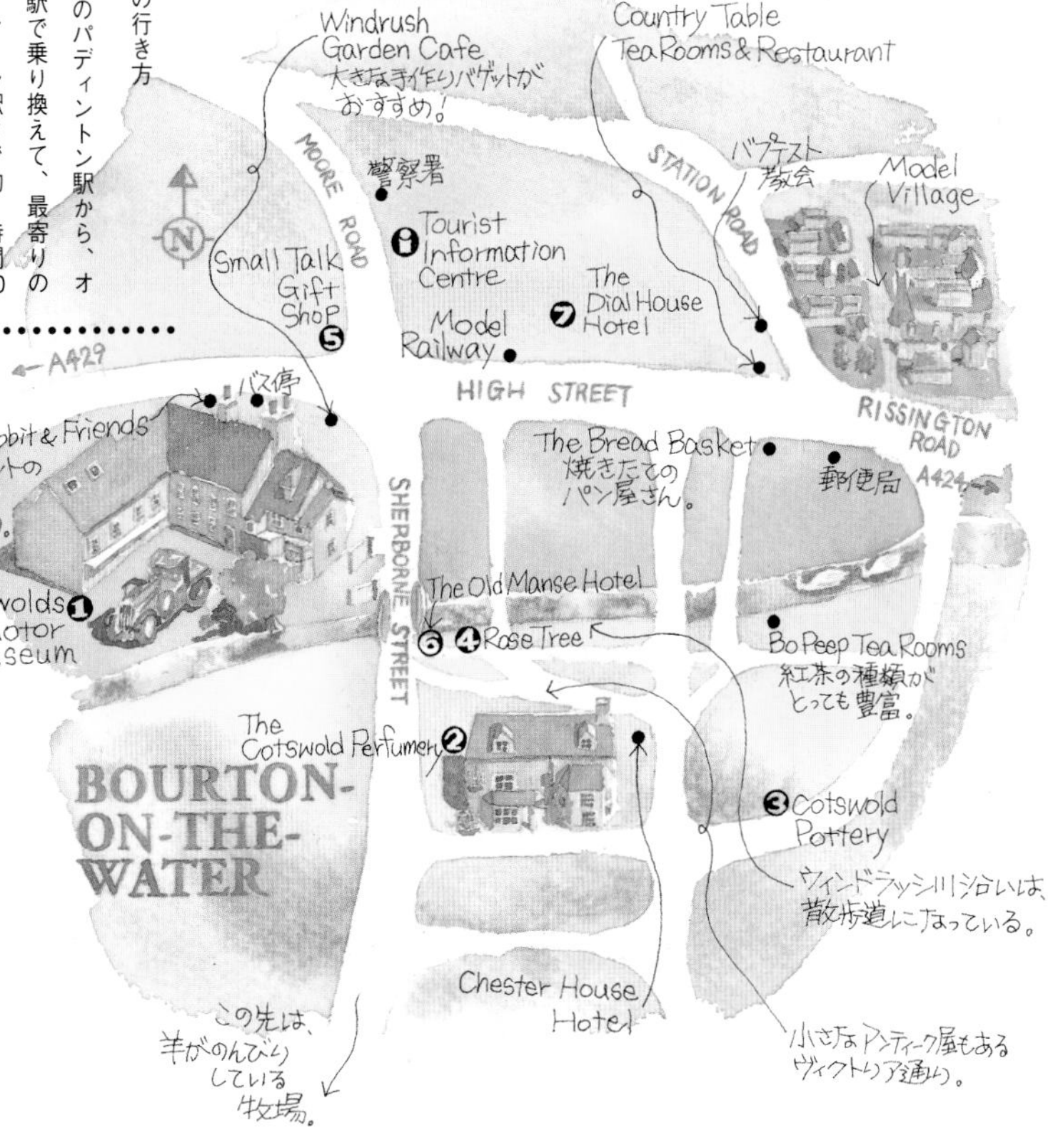

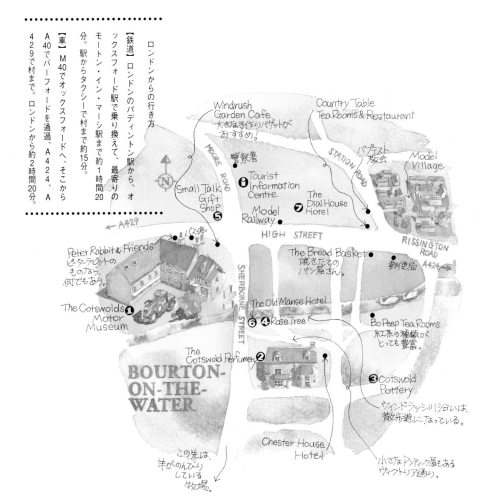

CHIPPING CAMPDEN

チッピング・カムデン

中世の繁栄を今に伝えるマーケットタウンで、
職人芸の真髄に巡り会う。

今に続く田園の豊かさを感じて

牧草地の中を抜ける側道にはいって間もなく、急に視界が開けて、丘のふもと、チッピング・カムデンの村が緑の中に光る真珠のごとく見渡せた。

　牧羊で栄えたコッツウォルズでも、ひときわ重要なマーケットタウンとして隆盛を誇り、中世にはヨーロッパ中にその名を知られた村という。茅葺き屋根に卵色の壁が映える民家をはじめ、どの家もひと回り大きくゆったりして見えるのも、あながち気のせいではないようだ。

❶Grevel's House グレヴェルズ・ハウス
1380年に、毛織商人の豪族が建てた、町で一番古い建物。水の落とし口には、奇妙な怪物の顔が見下ろす。

蜂蜜色の家並を彩る歴史の営為

町の中心ハイストリート（High st.）には1627年に建てられたマーケットホール（Market Hall）が残る。アーチ型の支柱の間から射し込んだ光が、石畳の上に美しいモザイク模様を描いている。その昔はここで人々が野菜や雑貨を広げて、賑やかに店を開いたのだろう。

扉の向こうは、時の悪戯がしかけるいざないの世界。

　時折、馬の背に揺られた人が行き交う道を、東に、教会の塔を目ざして歩みを進める。コッツウォルズ独特の蜂蜜色の石壁が続く晴れやかな家並に交じり、装飾的なゴシック建築、古寂びたグレヴェルズ・ハウス（Grevel's House）がアクセント、目を楽しませてくれる。正面から見上げてみる。屋根の端のひょうきんな怪物の顔が、雨どいの水落とし口になっているのがおもしろい。

　右折してチャーチ通り（Church st.）。17世紀、貧しき人々のために建てられた民家（Almshouses）を前景に、緩やかなカーブの奥にはセント・ジェームス教会（St James Church）の塔がそびえる。教会の隣に残るゲートはかつてここにカムデン・ハウス（Campden House）があった名残り。村の歴史に曰く、清教徒革命の際、迫り来る議会派にこの素晴らしい建物を渡すくらいならと、館の主は自らの手で燃やすことを選んだ、と。

　教会を回り込んで、ハイストリートへと戻る。あえて住宅街の裏道を抜けるのもいい。家と家の間の細い小路を覗きこむと、奥には、花でいっぱいの、手の行き届いた裏庭があるのが見えたりするので。何やらうずくまっていると思ったら、石膏の猫。背の低い可愛らしい水盤には、それでもちゃんと小さな噴水が。人の気配に外へ出てきたご婦人に恐縮しつつも、羨望の思いでプライベートの花園を鑑賞させてもらう。

❷Almshouses & St James Church
アームズ・ハウスの奥がセント・ジェームス教会。

馬を走らせる馭者がしばしば通りを駈けていく。乗馬スタイルの人が老若男女に関係なく多い村。

町のあちらこちらには、茅葺き屋根を持つ一般家庭の家が、今だに多く見られる。

❸Market Hall マーケット・ホール
かつてチーズや鶏を売る商人で賑わったマーケットホールは、1627年に建てられた。切り妻の部分にあった窓は、封じられた姿で残る。現在でも、チャリティーマーケットなどが開かれる。

❺The Old Silk Mill
オールド・シルク・ミル
Sheep St. Chipping Campden GL55
☎01386-841417 11.00-17.00 月曜休
町の金銀細工の職人による作品を展示する博物館も兼ねた工房。純銀製品のナイフやスプーンなどを作っている姿を間近に見学することができる。

（上）ほこりっぽい建物の階上でわき目も振らずに金槌をたたいている金銀細工職人。（左）ナプキンホルダーの型を整える目は真剣そのもの。一つひとつに職人の真髄を傾けることを怠らない。

❹Ann Smith アン・スミス
Peacock House, 16 Lower High St.
Chipping Campden GL55
☎01386-840879 予約制
個性的なジュエリーがショールームに並ぶゴールドスミス。飛び込みでも店内を見せてくれる。

コッツウォルドの職人魂

ハイストリートの西の端、カソリック教会の向かいに、ゴールドスミス、つまり金細工職人の看板をかかげる、アン・スミス（Ann Smith）。完全な注文製作制で、ショールームの作品を参考に希望の品をオーダーするシステム。18金のアクセサリーが中心。デザインはモダンだが、物を創る姿勢には、マスプロダクツに背を向け、自分のやり方を通す一徹さが感じられる。

数百年の歴史が染み込んだチッピング・カムデンのドアの向こうには、昔気質のクラフトマンシップが今なお息づいているらしい。

同じ通りの並びには、テーブルウェアの専門店、ロバート・ウェルチ・スタジオ・ショップス（Robert Welch Studio Shops）がある。こちらも、ナイフ&フォークからグラス、燭台など幅広

❻Interiors インテリアズ
Little Martins, High St. Chipping Campden GL55
☎01386-840331 9.00-18.00 日曜休

リプロとはいえ、書き物机や飾り戸棚などアンティークを模した趣味のよいインテリア商品がズラリ。ブロンズ像のデスクアクセサリーもヨーロッパの机上に欠かせない。

ハイストリートから奥に延びる小路。

ハイストリートにある建物の石壁に見つけた、ユニークな壁画。

❼Robert Welch Studio Shops
ロバート・ウェルチ・スタジオ・ショップス
Lower High St. Chipping Campden GL55
☎01386-840522 9.30-17.30 日曜休

銀細工職人・デザイナーとして英国の大御所でもあるロバート・ウェルチの店。明るい店内には、シンプルなモダン感覚に溢れる商品がずらりと並んでいる。

❽Badgers Wine Bar & Bistro
バジャーズ・ワインバー＆ビストロ
The Square, Chipping Campden GL55
☎01386-840520 11.00-15.30, 18.30-22.00 木曜休

ハイストリートの中程にあるビストロ。バジャーズは、この辺に出没すると言われる『あなぐま』の意。

い商品の全てが、ウェルチ氏のオリジナル・デザイン。ちなみに、彼の手になる銀のコーヒーセットは、ロンドンの首相官邸でも使用されているのだ。

　コッツウォルズのクラフトにますます興味がわいて、オールド・シルク・ミル（The Old Silk Mill）を訪れることに。ウェルチ氏のショップの角を曲がってすぐ、シープ通り（Sheep st.）にある。うっかりすると見落としてしまいそうな奥まった入口。百年ほど前には、ハンドクラフトの職人のギルドが置かれていたこの古い石造りの建物、現在は1階が地域のクラフト作品を展示する博物館、上は職人の工房にと使用されている。

シンプルな戸口もわずかな花を飾るだけで絵になる。

❾The Kings Arms Hotel

キングズ・アームズ・ホテル
The Square, Chipping Campden GL55
☎01386-840256 FAX 01386-841598

16世紀に建てられたカントリー・ハウスには、マーケット・スクエアを臨んだ部屋を含む14の部屋がある。最近改装されたばかりの寝室は、家具・装飾に昔風の良さを残しながらバスルームの設備が近代的に整えられた。ファミリールームや別館の寝室では、旅先のプライベートが心地よく保てるとゲストに人気がある。

❿The Cotswold House Hotel

コッツウォルド・ハウス・ホテル
The Square, Chipping Campden GL55
☎01386-840330 FAX 01386-840310

鮮やかな朱色の壁に螺旋階段が上るホールには気品が漂う。フレッシュな花が飾られたラウンジや寝室には、イギリスのエレガンスが醸し出されている。ガーデンを臨むダイニングルームで爽やかな朝食を。150ラベル以上をストックするワインが自慢のレストランメニューも、ゲストに好評。

手作りの誇りを伝える逸品

分厚い木造の扉にはハーツ(Hart's)のシルバースミスとある。オールド・シルク・ミルのぎしぎしと鳴る階段を昇った2階。中に入って、一世紀ほどタイムスリップしたのかと疑った。使い込まれ黒ずんだ様々な形の工具が、そこいらじゅうに置かれた作業場。咳き込みそうになるほどの粉塵が立ちこめる。ダルマストーブのような炉が赤々と燃えているのも見える。黄ばんだ注文書の束が幾つも吊される下では、作業台に埋もれるように、数人の職人が黙々と銀を打っていた。作品の見本、と渡された銀のスープ匙はずしりと重い。裏を返すと、サインの下に、全長2cm程の、愛らしくも、極めて精巧な鼠の彫刻。言葉少ない職人の高い矜持にふれた一瞬だった。

ロンドンからの行き方

【鉄道】ロンドンのパディントン駅から、オックスフォード駅で乗り換えて、最寄りのモートン・イン・マーシ駅まで約1時間20分。駅からバス、または、タクシーで村まで約15分。

【車】M40でオックスフォードへ、さらにA44、B4081で村まで。ロンドンから約2時間半。

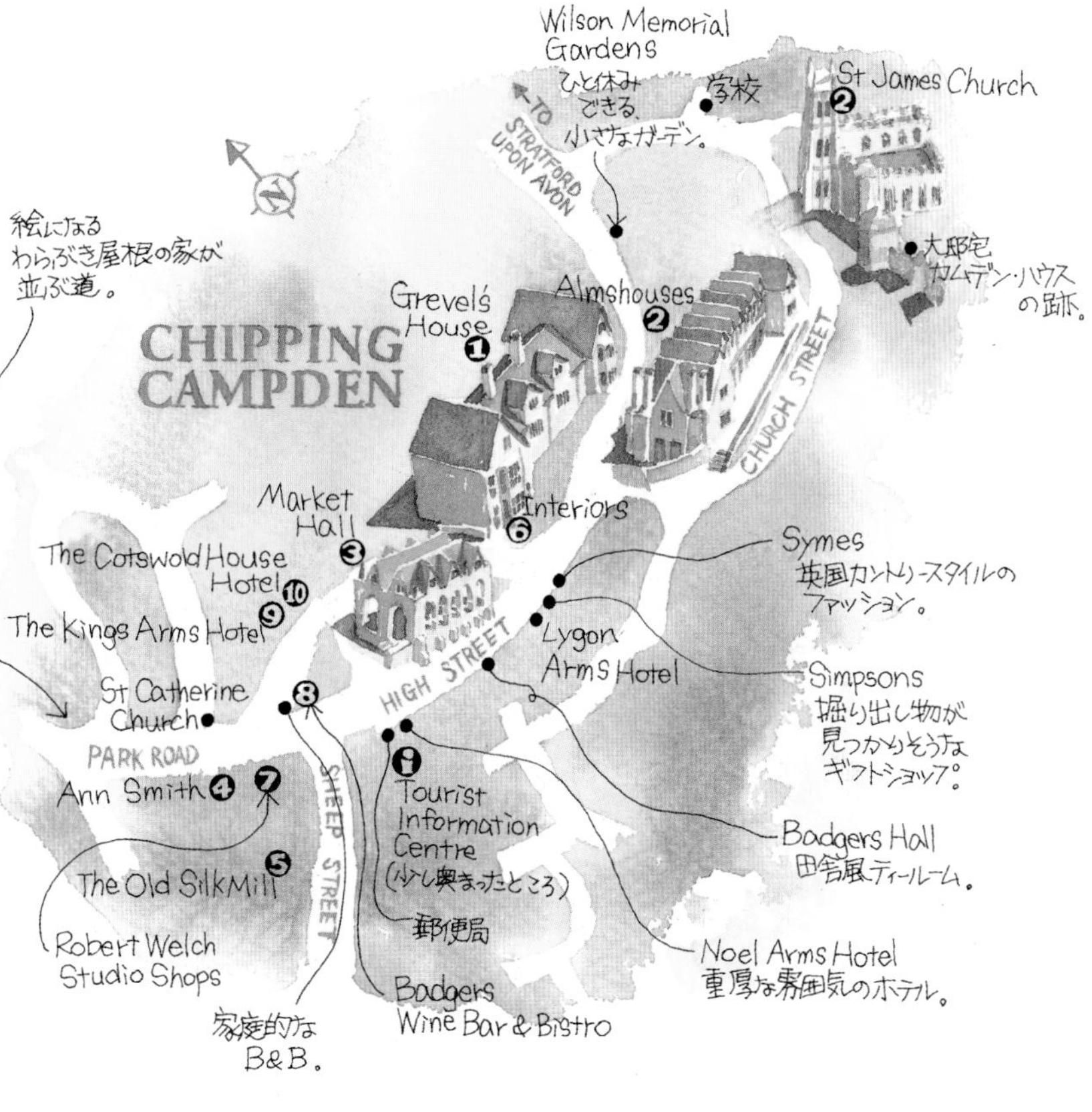

BIBURY

バイブリー

イングランドいちと褒め讃えられた美しき村で
清流に遊ぶ、鱒釣りの休日。

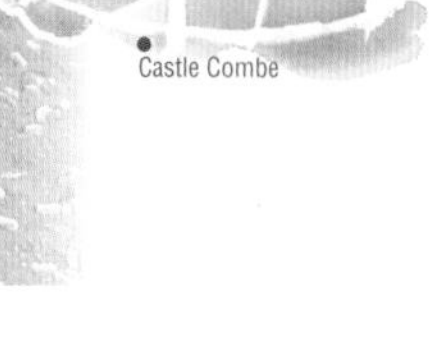

ウィリアム・モリスの賛辞

著名なアーティストであり、詩人としても知られたウィリアム・モリスは、バイブリーを"イングランドで最も美しい村"と称賛した。

水鳥の遊ぶ澄んだ川と、数百年の時の流れに醸成された可愛らしくも風格のあるコテージが連なる家並、古典的なコッツウォルズのイメージをそのまま絵にしたのがこの村かもしれない。

まわりの風景に溶け込む花の香は長閑な一日のフレグランスとなる。

鱒が跳ねる清流とのんびり回る水車

村を流れるコルン川（River Coln）の上流には鱒《ます》の養殖場、バイブリー・トラウト・ファーム（Bibury Trout Farm）がある。1902年に開かれたというから、イングランドでも最も古い養殖施設のひとつである。芝生の青々とした8エーカーもの敷地に40個以上の養殖池があり、その眺めは大きな水の公園といった感じ。先生に連れられた子供たちのグループが、歓声をあげながら鱒に餌を与えている。遠くの端では、並んで釣り糸を垂れる親子連れ。名高い「釣魚大全」には、釣りは"暇な時間のためのもの、ただし暇つぶしではできない"とあるけれど、はたして彼らの釣果はいかに？

トラウト・ファームの隣はアーリントン・ミル（Arlington Mill）。17世紀に建てられた水車小屋で、水の流れが変わってしまった現在は、本来のお役は御免となった。ただし、村の博物館として、ごとごとゆっくりと回る木造水車の仕組みを見せてくれる。外から想像するより案外広く何層にもなった室内には、昔の農機具の展示に合わせて、水車小屋にまつわる伝承が紹介されていた。

野外活動の『釣り』に出かける地元の小学生たち。バケツを片手に、ゴム長靴といういでたちの児童が、先生に連れられて元気よく釣り場に向かって行った。

嘘か真か、不気味な幽霊ばなしもまじる。

ミルの外では、よちよち車道を横切る家鴨の一家を辛抱強く待っている車の列ができていた。この辺りの鳥たちはみんな人なつっこく、近くまで平気で寄ってくる。

欄干にもたれて、思いがけず勢いよく流れる川面を眺めていたら、ふと気づいた。そこにもここにも、鱒が悠々と泳いでいる。体長30 cm以上はあるだろう。その背の斑点までくっきりと見える。川のプリンスとでも呼びたい、堂々と貫禄のあるその姿に、手を伸ばせば触れられそうなくらい。

コルン川に架かる橋の上からは、小川の流れに尾ひれを揺らす虹鱒の姿が見られる。

コルン川の岸辺沿いにはパブリック・フットパス（散策路）が続く。

❶Arlington Row アーリントン・ロウ

コッツウォルズで、最も絵になる典型的なコテージと称えられる。かつては、羊毛納屋や織屋として村人が忙しく出入りしていたこの小道は、今では、観光客が連なって歩くこともしばしば。

絵になる景色のスポットには、ベンチがさりげなく置かれている。

❸Arlington Gallery アーリントン・ギャラリー

Arlington, Bibury GL7

☎01285-740385 10.00-18.00 火曜休

コッツウォルズで創作活動をするアーチストの絵を集める。小さな額に入ったアーリントン・ロウの絵が、特に人気が高い。

チャペルの北壁には、ヴァイキングが彫ったといわれるスカンジナビアン模様の墓碑が残っている。

バイブリーの一角に、村の変遷をひっそりと見守るかのように佇む教会。

❷St Mary's Church

セント・メアリー教会

田園生活の幸福を想うコテージ

小さな灌木《かんぼく》の林と水路に挟まれた小径を進むと、やがて見えてくる典型的なコッツウォルズのコテージ群がアーリントン・ロウ（Arlington Row）である。いくぶんかしいで見える壁と苔むした屋根に、数百年の時の重みを感じる。と、ひとつのドアがあいて、散歩にゆくのか、犬を連れた若い女性が現れた。普通の住宅として、今も当たり前のように使っているのには、つくづく感心。鉄の窓枠のガラス越しに、ちらりと中を覗き見してみる。庭から摘み取ってきた花が活けられたテーブル、その側には、使い込まれて程良くくたびれた、座り心地のよさそうな肘掛け椅子が見える。こんなコテージで、アンティークの家具に囲まれて、本を読むような生活ができたら……と、思わず空想に浸ってしまう。

(右) 階上のミュージアムに展示されている武骨そうな農機具。何に使われたのかは使い込まれた跡から、想像力豊かにご覧あれ！
(下) ティールームの後方には、現在では電気の力を借りてゆっくりと回る、大きな水車が見える。

❹Arlington Mill Museum & Tea Room
アーリントン・ミル・ミュージアム＆ティールーム
Bibury GL7 ☎01285-740368 9.00-18.00(日曜10.00-17.00) 無休
雑貨や小物、コッツウォルズのガイドブックを売るギフトショップの上が、ティールームとミュージアムになっている、水車小屋。ミュージアムでは水車が回っていた時代のローカルの人々の暮らし振りを紹介する。

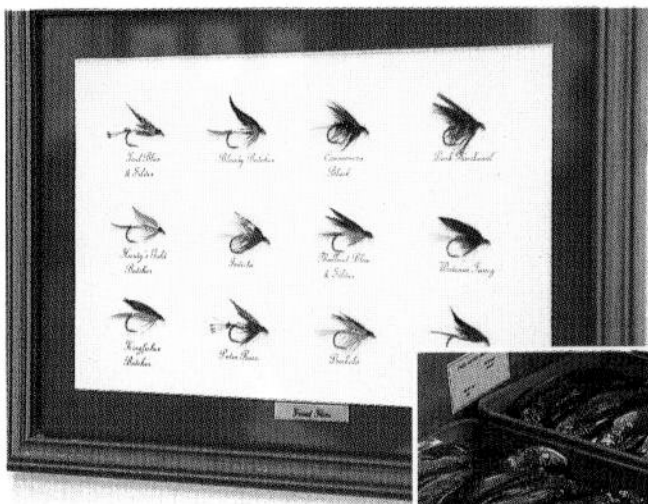

(下) 新鮮な持ち帰り用の虹鱒。
(左) 彩り豊かな毛針には、それぞれ名前が付いている。

❻Trout Farm Shop
トラウト・ファーム・ショップ
Bibury, GL7 ☎01285-740215
9.00-18.00 (日曜10.00-17.00)
デリカテッセンのコーナーには、鱒の薫製、パテをはじめ、英国の珍味が並んでいる。鱒の養殖場は、1902年に創設された英国で最も古い鱒池。毎年25万匹もの鱒を孵化させている養殖風景の見学ができる。

(下) ランチメニューにある虹鱒のグリル。地元で獲れた鱒だけにこれ以上の新鮮な味わいはない、納得のいく一品。

❺The Catherine Wheel
キャサリン・ウィール
Arlington, Bibury GL7
11.00-23.00(日曜12.00-15.00, 19.00-22.30) 無休
15世紀に歴史を辿る2つの宿が繋がってできたパブ。入口で、アーリントンバーとバイブリーバーに分かれている。

カンバスに閉じ込める思い出

できることならポケットに入れてもって帰りたいようなバイブリーの村。せめて絵姿をと、アーリントン・ギャラリー(Arlington Gallery)のショーウインドゥをのぞく。

優しいタッチの水彩もいいけれど、目に留まったのはアーリントン・ロウを描いた油絵。絵葉書ほどの大きさながら、本格的に彫りのはいった、金色の豪華な額が英国っぽい。バイブリーの年中行事、おもちゃのカモを川に流して速さを競う、ダックレースを描いたユーモラスな一枚も捨てがたい。「このあたり、絵になるところがいっぱいあるでしょう。だから、ウチで扱うのもコッツウォルズの風景画がほとんどね。アーティストもみんなこの近在の人です」とは、オーナーのジェームズ夫人。

❼The Swan Hotel スワン・ホテル

Bibury GL7
☎01285-740695 FAX 01285-740473

コルン川の川沿いに建つ蔦の絡んだ建物は、馬車停としての歴史が古く、その昔に描かれたバイブリーの絵の中にもその姿が残る。各寝室にはモダンな設備が整えられ、田舎町のホテルには珍しいジャクジーバスが付いた部屋まで。デザートを作らせたら右に出るものがないというシェフの、モダンブリティッシュ料理も自慢の一つ。シャンデリアが灯る広々としたダイニングルームで、その斬新なメニューに舌鼓を打つことができる。

❽Bibury Court Hotel

バイブリー・コート・ホテル
Bibury GL7
☎01285-740337 FAX 01285-740660

1633年にトーマス・サックビルによって建てられた、ジャコビアンスタイルのマナーハウス。門を中にはいると、英国のカントリーサイドらしい広大な芝生の庭園を前にして、雄大な姿がそびえ立つ。天井の高い広々とした部屋には、時代を遡る調度品がしつらえてあり、壮麗な映画のワンシーンに出てくる邸宅そのもの。優雅で気品に溢れる館にふさわしく、心のこもったスタッフのサービスも旅の心を盛り上げてくれる。

キャンドルの下で鱒料理

バイブリーで食事となればメニューは決まっている。当然、地元産の鱒料理。

おしゃれして、少し気取ったディナーを楽しみたいと、コーチ・インの伝統を誇るスワン・ホテル（The Swan Hotel）の、典雅なダイニング・ルームに席をとる。キャンドルの灯りに照らされた銀器に、上品な味わいの一品がよく似合う。隣のテーブルでは身振りも交えて釣り談義に夢中の紳士、少年のようなその熱中ぶりにはつい微笑んでしまう。

食後のコーヒーをいただくのは、ラウンジの暖炉の前。寝る前にカードをもう一勝負と誘いあう、老婦人の会話が漏れ聞こえた。一日の終わりのこの静かな興奮に、久し振りにチェスの駒でも動かそう、こちらもそんな気分になる。

ロンドンからの行き方

【鉄道】ロンドンのパディントン駅から、最寄りのケンブル駅まで約1時間10分。駅からタクシーで村まで約15分。

【バス】ヴィクトリア・コーチステーションから、ナショナルエキスプレスでサイレンスターまで約2時間。一日一本のみ運行。サイレンスターから村まで、車で約20分。

【車】M40でオックスフォードへ、さらにA40、B4425で村まで。ロンドンから約2時間20分。

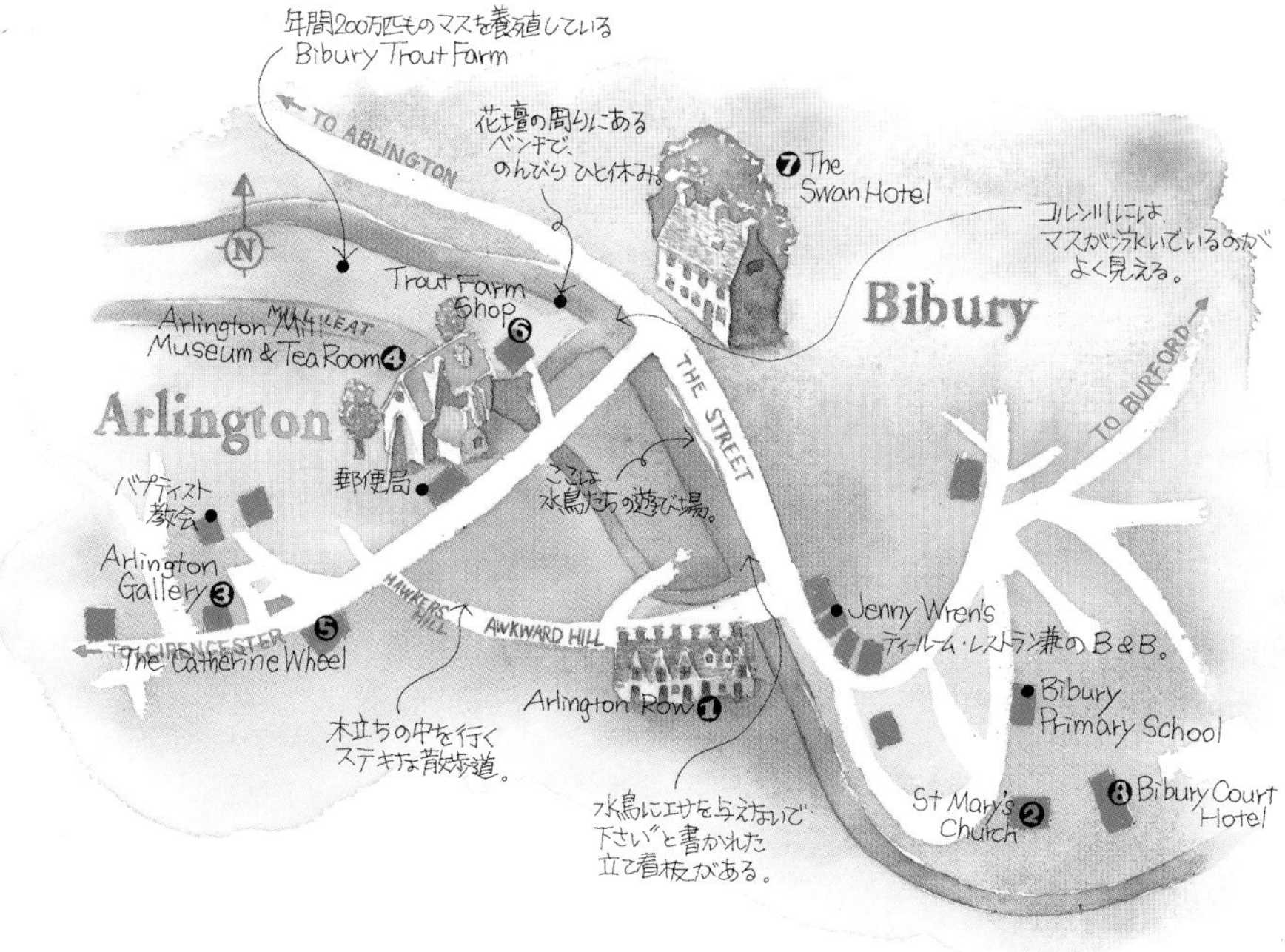

BROADWAY

ブロードウェイ

幅ひろの舗道を飾るショーウィンドウに
英国的さりげない暮らしのセンスが光る。

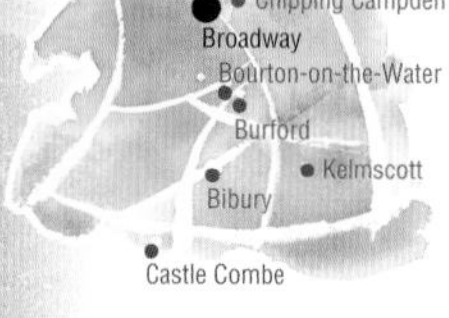

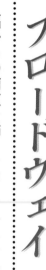

人々のさざめく街路

ブロードウェイは、幅のあるという意味の"ブロード"という言葉にたがわず、緑地をいっぱいにとった広々とした舗道が印象的な村である。

古くは、あたりの地方都市を結ぶ街道の村であった。長きにわたり人々が交錯した土地にみられる活気が、のどかな田園の空気の中にも感じられる。

目抜き通りには、蔦の絡まるコテージや古色蒼然としたいわくありげな館に入り交じり、個性的な趣味のよい店が並んでいる。田舎の村には珍しく、ブロードウェイの楽しみは、ショッピングにある。たとえば、上品な花柄のパッケージがいかにも英国的な自然化粧品を扱う店。同じような品でも、都会のデパートで買うより、緑に囲まれたこの村で手にしたほうが気分がいいのは何故だろう。

村から丘陵の上にそびえ立つブロードウェイタワー。コッツウォルズのなだらかな緑の絨毯を、四方にぐるりと見渡すことができる。

個性的な店を巡る、ショッピングの快楽

裏の農場の産みたて卵を朝食にいただいた日は、キッチン小物を選ぶ気合いも違うというもの。台所用品専門店の、すっきりとして飽きのこない、ごく当たり前のデザインがうれしいトースト・ラックやエッグ・スタンドが並んだ棚を前に、しばしの黙考。

ツーリスト・インフォメーションが入っているショッピング・アーケード、コッツウォルド・コート（Cotswold Court）も楽しい。ずらりと並んだ昔懐かしい駄菓子屋風キャンディーボックスには、赤、青、黄色、カラフルな飴がいっぱいのスィート・ショップ（Hamiltons）。そのはす向かいには、缶の専門店。おもちゃやビスケットなどしまっておくための、大きさも形も様々な缶は、古きよき時代を彷彿とさせる、ノスタルジックな絵で飾られている。

窓辺にかかるレースの奥には、可憐な宝が隠されている。

村の中を走るメインロードの両脇には、黄色いコッツウォルドストーンのお店が肩を寄せ合って並んでいる。

❶Feathers Gallery フェザーズ・ギャラリー
The Green, Broadway WR12
☎01386-858866 10.00-17.00 無休
鳥を型取りした木彫刻のギャラリー。精巧な美しさを眺めるだけでも楽しいお店。

すべて手作りの木彫りの鳥は、同じ型でもよく見ると、一体ごとに個性的な表情を見せている。

❷Parkinson パーキンソン
Forge House, 34 High St. Broadway WR12
☎01386-853783 9.00-17.30 無休
カントリー風の雑貨が揃うお店。編込みバスケットは、形と大きさがさまざま。英国のカントリーサイドでは、バスケットを片手に買い物をする人をよく見かける。小物を入れて部屋に置いても素敵。

❸Cotswold Trading Co.
コッツウォルド・トレーディング
36 High St. Broadway WR12
☎01386-853331 9.30-17.30
(土曜 9.30-18.00,
日曜 10.00-18.00) 無休
ポプリ、キャンドルスタンドなど、英国らしい小物や雑貨が並ぶショップ。クラブツリー・イブリンやニールズ・ヤードなど人気のトイレタリー用品は、小ぶりでパッケージもエレガント。他に、ウィッタードの紅茶なども置いている。

❹Broadway Bears & Dolls
ブロードウェイ・ベアーズ＆ドールズ
76 High St. Broadway WR12
☎01386-858323 9.00-18.00 無休
新旧さまざまなベアに会える、まさに、テディベアワールドの店。奥は、世界各地から集められたアンティークのベアが展示されたミュージアムになっている。

テディの国へようこそ

ハイストリートのはずれには、テディベアの店（Broadway Bears & Dolls）を見つけた。天気のよい日は、看護婦さんの制服を着た、大人の背丈ほどもある巨大なテディが門前に立つのが目印。ぬいぐるみの病院も兼ねた店内では、店番の女性が、頭部負傷の子パンダを手に、静かに針を動かしている。奥は珍しいテディベアを集めたミニ博物館。薄茶色の毛並みに何やら風格が漂う、今世紀初頭もっとも早い時期のものから、戦前の日本製ポケットサイズの小さなテディの兄弟まで。子供部屋を遠く離れて、ショーケースの向こう側で仲間と集う彼らは何を想うのだろう。

素朴な手作りジャムの味

B&Bの朝食テーブルに必ずあるのが、手作りジャム。甘さも程よく、ころころと大きなフ

❼Hampers ハンパーズ
Cotswold Court, The Green,
Broadway WR12
☎01386-853040
9.00(日曜 10.00)-17.30 無休
小さなお店が集まっているコッツウォルド・コートの中にあるデリカテッセン。アーケードの小路に、篭いっぱいにつまったジャムやピックルスの瓶詰めが並べられている。

メインストリートから袋小路の奥を覗くと、雑踏をさけて緑に囲まれたテラスカフェが見えた。

コテージやダブルデッカーの形をしたボックス缶。何を入れるか決めてなくても、とりあえず欲しくなる。

❺Hamiltons ハミルトンズ
11 Cotswold Court, The Green, Broadway WR12
☎01386-858560 9.00(日曜 10.00)-18.00 無休
一口サイズのお菓子が揃ったショップ。

カラフルなキャンディが詰まった瓶は、レトロ調。

❻Tisanes ティサンズ
Cotswold House, The Green,
Broadway WR12
☎01386-852112 10.00-17.30 木曜休
紅茶のものなら何でも揃う店。ありとあらゆるものを型取ったティーポットのディスプレイ。紅茶王国英国ならではのユニークなアイデアがいっぱい。
奥のティールームの窓辺にもティーポットが並んでいる。

町で見かけたアイスクリーム屋さん。着ている服も、アイスクリーム模様。

ルーツの粒が入っているところなど、素朴で、しかもおいしい。こんなのをお土産にと思っていたら、ギフトショップ（Hampers）の棚に、英国のお母さんの味マーマレードが並ぶのを見つけた。昔ながらの濃い黄金色のものに加えて、ブランデー入りやら蜂蜜入りと種類も豊富。いかにも田舎風といった感じのタイプ打ちのラベルも気に入った。

賑わいの中に見つける静謐

結構な人出があるのに、騒々しくないのは、やはりゆったりとした道幅のせいか。

ローマンカソリック教会へと折れる辻、ルネッサンス絵画から抜け出てきたかと見まごう、簡素な僧服に身を包んだ修道士に出会った。思わず目をみはる無礼な異邦人に対し、穏やかな微笑みを残して消える後ろ姿を見送ると、時間がゆっくりとほどけてゆくようだ。

❽The Old Rectory オールド・レクトリー

Churc St. Willersey, Nr. Broadway WR12
☎01386-853729 FAX 01386-858061

ブロードウェイの村から車で５分。田園の中の小さな村、ウィラズリーにあるゲストハウス。夫人が提供する家庭的なサービスは、異国で味わう最高の安らぎ。花が咲き乱れるガーデンを見ながらの朝食は、目覚めもさわやかな一日の始まりとなる。各寝室にも花が飾られ、フローラルな香りに包まれる。

❾The Broadway Hotel ブロードウェイ・ホテル

The Green, Broadway WR12
☎01386-852401 FAX 01386-853879

ブロードウェイのハイストリートに面した建物には、ブラスの掛かった暖炉、太い梁が巡るダイニングホールなど、どこを見渡してもイギリスらしい雰囲気が漂う。シックな色のカーペットが敷き詰められた館内は、気さくな雰囲気に溢れ、広々としたダイニングルームでは、町の老夫婦がお洒落をして食事をする姿が見られる。

コッツウォルズの村を歩いていると、乗馬姿の人々によく出会う。石造りの町並みに、手綱をとる姿がとてもよく似合う。

野を見晴らす孤高の搭

車で急なカーブの続く小高い丘を登る。ブロードウェイタワー（Broadway Tower）は、遮るものとてない丘の上の平原に、屹立《きつりつ》、と形容したい趣きで立っている。建てられたのは18世紀、でもスマートで素っ気ないほどの外観は、中世の城のミニチュア版という風にも見える。ラファエロ前派の画家達が滞在したことで知られるが、このどこか人を拒むかのような、神秘的かつ孤高の雰囲気が彼らを魅了したのかも知れない。

風が強い。地上に光と影の縞模様を動かしながら、雲がすごい勢いで流れゆく。はるかに見晴らす、コッツウォルドのひろやかな丘陵。営々として続く、緑の濃淡のパッチワークが、その大地の豊かさを証明している。

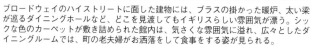

ロンドンからの行き方

【鉄道】ロンドンのパディントン駅から、オックスフォード駅で乗り換えて、最寄りのモートン・イン・マーシ駅まで約1時間20分。駅からバス、または、タクシーで村まで約15分。

【車】M40でオックスフォードへ、さらにA44で村まで。ロンドンから約2時間半。

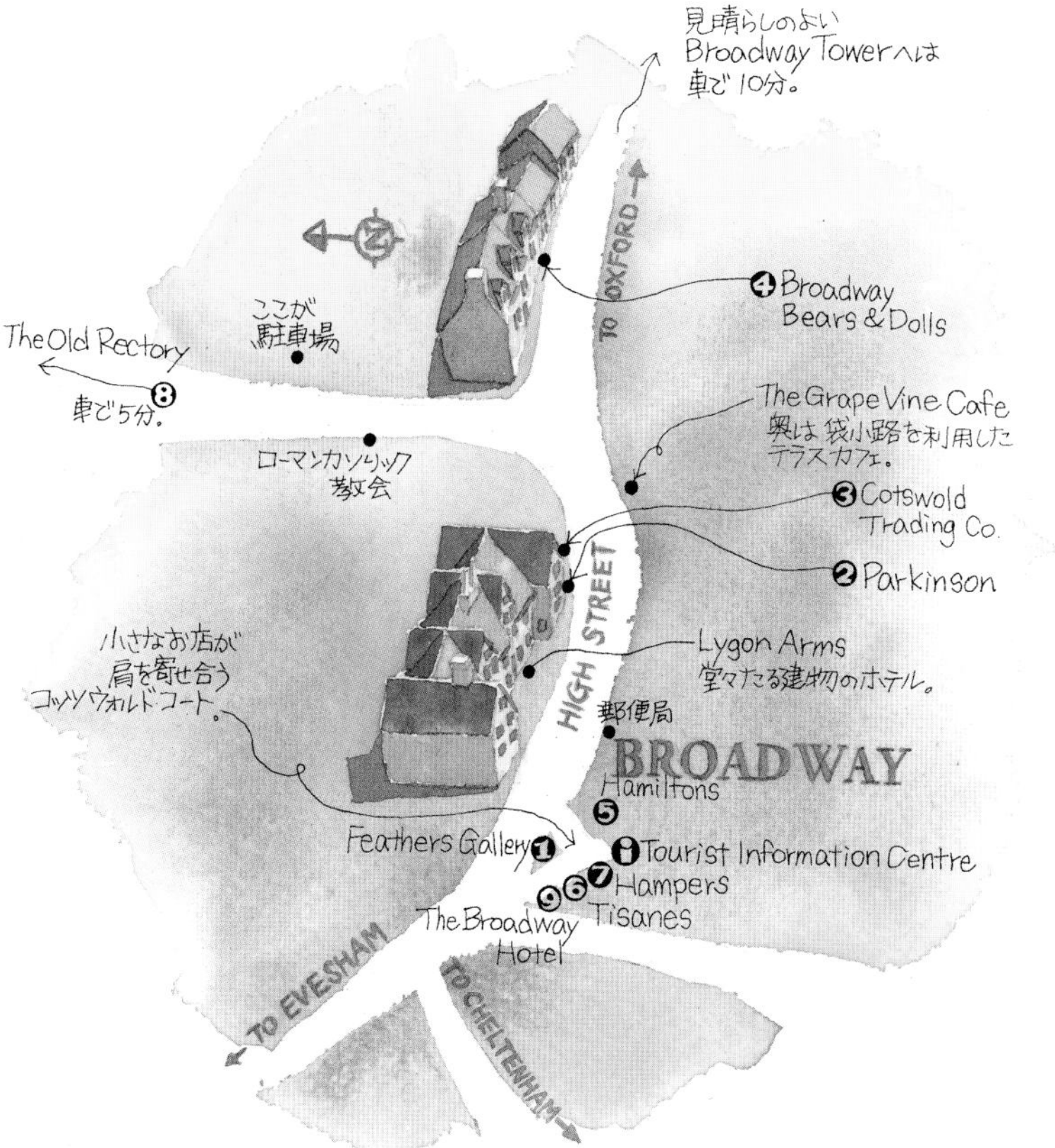

CASTLE COMBE

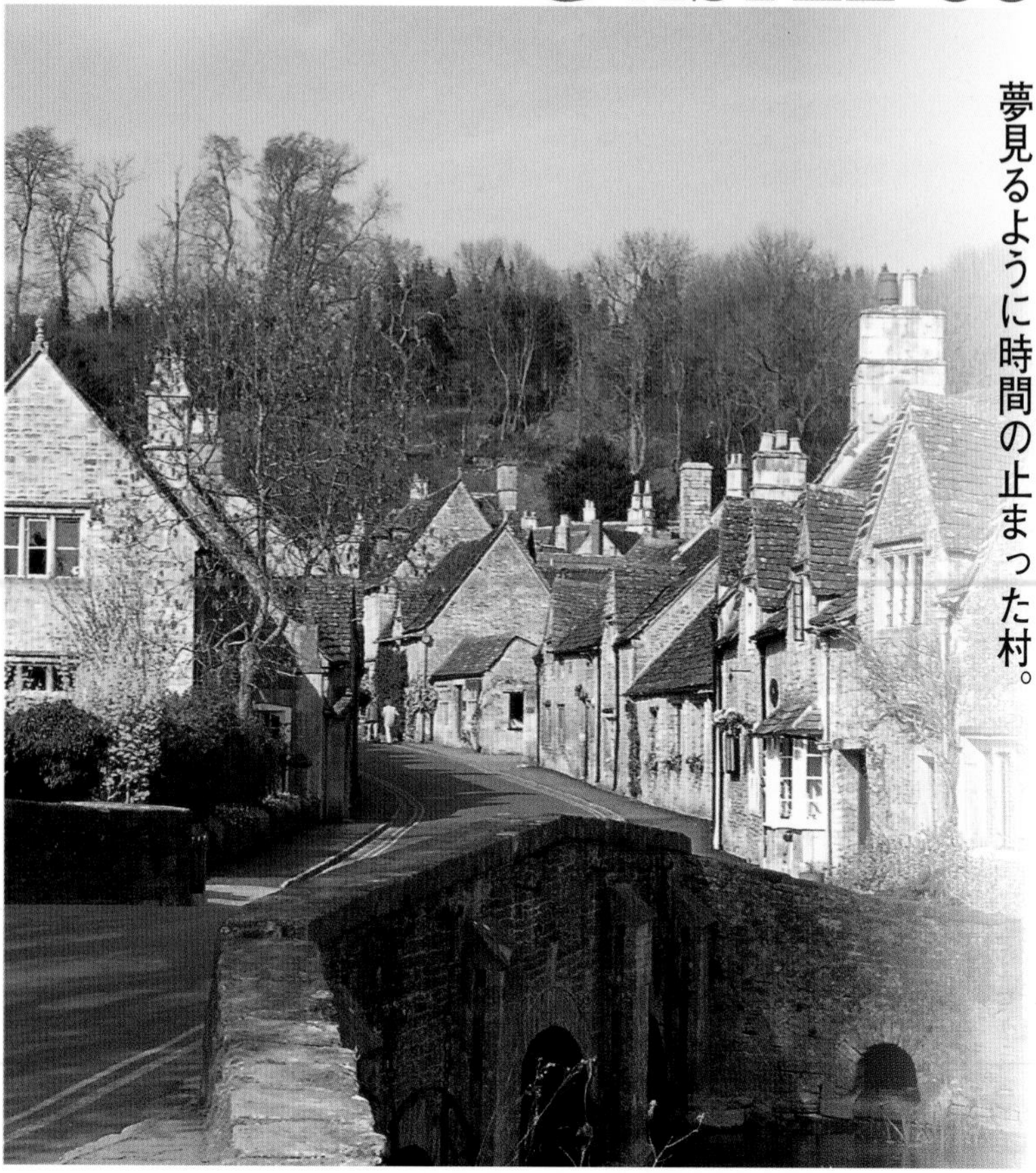

カースル・クーム

数百年の時の流れに気づかずに睡る、
夢見るように時間の止まった村。

時のない村

コッツウォルズの南の端、カースル・クームの村は、全長５００ｍほどのメインストリートが1本あるだけの、本当に小さな小さな村である。石のタイルで屋根をふいた、温かなミルク色のコテージの列は、緩いカーブを描いてバイブルック川（River Bybrook）の清流へと続く。羊毛業で栄えた15世紀以来、この村だけは時間が止まってしまったらしい。１９００年の撮影という、黄ばんだ村の風景写真と比べても、今とほとんど変わりがないのに驚かされる。

ここまで、はるかな過去をそのままとどめた村の姿は、英国でも今となってはなかなかお目にかかれないのか、映画やドラマのロケに使用されることもしばしばなのだという。

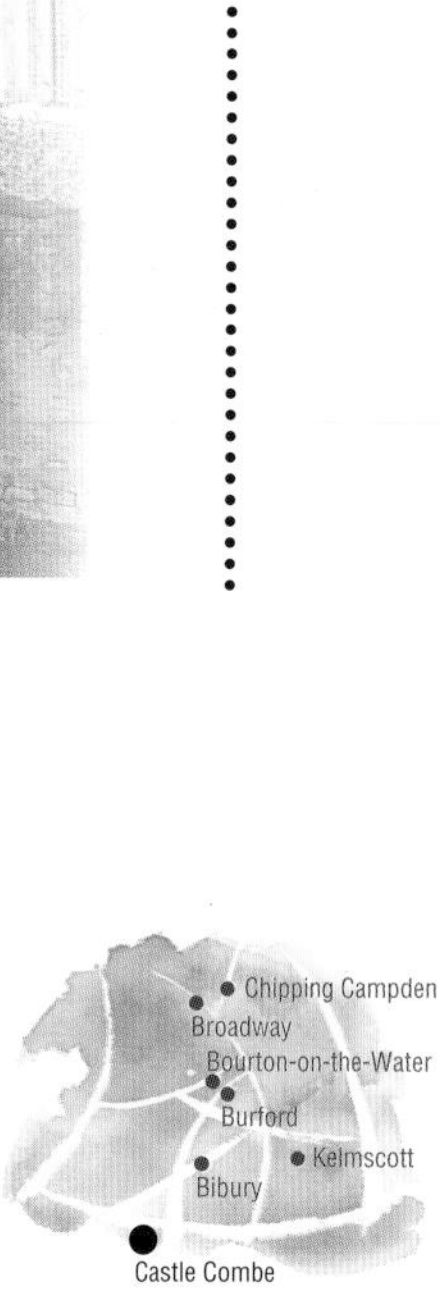

豊かな表情をもつコテージ

てっぺんの飾りの塔が、さすがに長い時にすり減ったマーケットクロス（The Market Cross）は、村のささやかな広場の中央で人々に憩いの影をつくっている。

　民家の間にセント・アンドリュー教会（Church of St Andrew）を仰ぎ見る。富裕な織物業者の寄進による教会はこじんまりと愛らしい。時代がかった聖書台付きの聖水盤など、何気なく中世の遺物が残されている。珍しいのは文字盤のない15世紀の時計仕掛け。今も刻々と時をきざんでいる。

村の家々の屋根には、アンテナの姿さえもない。

　ただ単にストリート（The Street）と呼ばれる通りをぶらぶらと歩く。ここでは番地などいらない、立ち並ぶコテージはそれぞれの名前で呼ばれている。門構えがみなおもしろい。笑っているような表情のライオンのノッカー、ドアの脇に吊された錆びついた呼び鈴。歪みも味わいのうちの、黒い鋲《びょう》が一面に打ちつけられた重たげな扉は、何と400年前のもの。

　橋の手前にあるオールド・ポスト・オフィス（The Old Post Office）は村の何でも屋。郵便局であるのはもちろん、雑貨屋、ギフトショップ、観光案内所も兼ねている。時には、巨大なトラクターで乗りつけて新聞を買いに来る農夫の姿も。

村の教会の片隅で隠れるようにして時を刻む時計。

　橋のたもとにあるのは、ウェーバーズ・コテージ（Weavers Cottages）。かつての機《はた》屋《や》の家である。女性が糸を紡ぎ、男性が布にと織った。その昔、ここに住んでいたのはブランケット兄弟。ある冬の日、彼らは羊の毛から厚手のごわごわした布を織りあげ、それにくるまって寒い夜をしのぐことを思いついた。このアイディアはみんなに広まり、ついにその新しい夜具は、兄弟の名をとってブランケット（＝毛布）と呼ばれるようになったとか。

❶Manor House マナー・ハウス
Castle Combe SN14 ☎01249-782206
14世紀に歴史を遡る由緒あるマナーハウス。26エーカー（約10万m²）の敷地には、ゴルフ場もある。1947年から、建物はホテルとして使用されている。

❷The Old Post Office
オールド・ポスト・オフィス
The Street,
Castle Combe SN14
☎01249-782201
8.30-17.00 無休
静かな村で、唯一、人の出入りが目立った、よろず屋さん。

中世の名残りであるマーケット・クロス。かつてここで羊のせり市が開かれていたというが……、そのざわめきは昔日の彼方に。

❸Combe Cottage Antiques
クーム・コテージ・アンティークス
Castle Combe SN14
☎01249-782250 10.00-17.00 日曜休

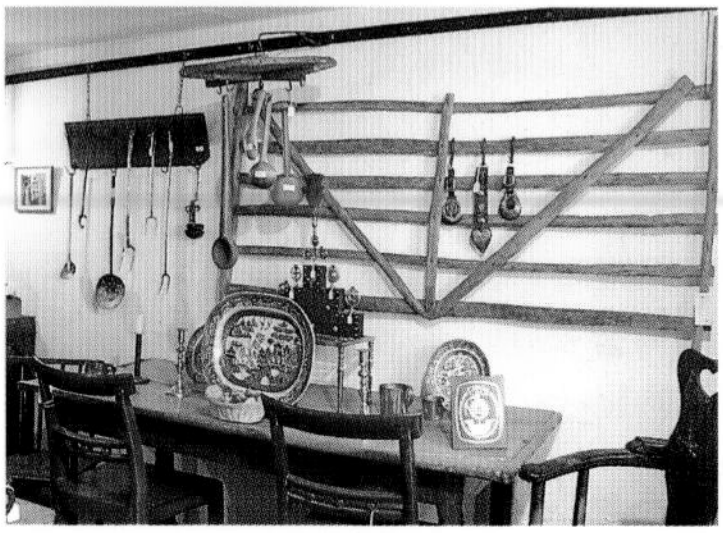

農家の一間と見受ける店内には、暖を灯ける道具や馬の頭に載せる飾りなど、いかにも英国らしい古道具が並んでいる。

❹The Castle Inn カースル・イン
Castle Combe SN14 ☎01249-783030 FAX 01249-782315
マーケットクロスの横にあるインの中は、モダンな設備が整う。梁の曲がり具合が優雅な寝室で、ベッドの上に置かれたテディベアがゲストを迎える。

昔の暮らしに思いを馳せて

「日本人とはまだ商売をしたことがないな。ここまで出かけて来るには遠いからかね？ でもアメリカ人は店をさらうようにしてもってゆくがね」そう言って、にやりと笑うのは、クーム・コテージ・アンティークス（Combe Cottage Antiques）の老店主。年を経た建物全体がアンティークのような店である。素朴な農家風台所用品が主で、暖炉回りの器具も多く見られる。いまや壁の飾りだが、長い柄の蓋付き銅器は昔のあんか。炭をいれてベッドに差し込み布団を暖めた。こうした見たことがないような不思議な道具を前に、どんな風に使ったのだろう、誰が、どんな屋敷で……、などと想像を繰り広げることができるのも、アンティークの楽しみのひとつである。

ロンドンからの行き方

【鉄道】ロンドンのパディントン駅から、ディドコット・パークウェイ駅で乗り換えて、最寄りのチッペンナム駅まで約1時間20分。駅からタクシーで村まで約20分。

【車】M4で17番インターへ、さらにA350、A420、B4039で村まで。ロンドンから約2時間半。

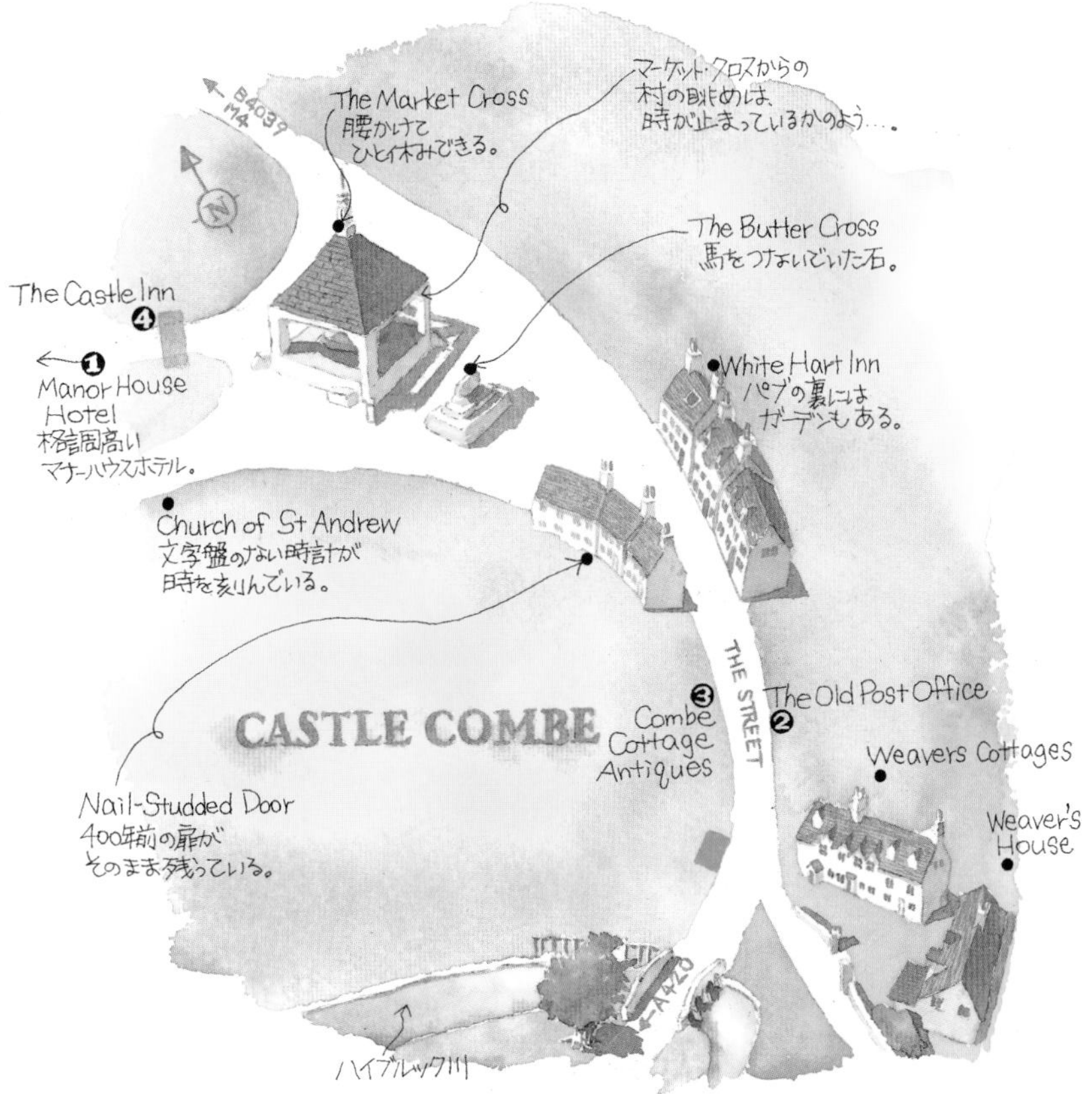

BURFORD

バーフォード

目立たない村にこそ、むしろ思わぬ美しさの発見がある。
普段着の田舎を見つけた。

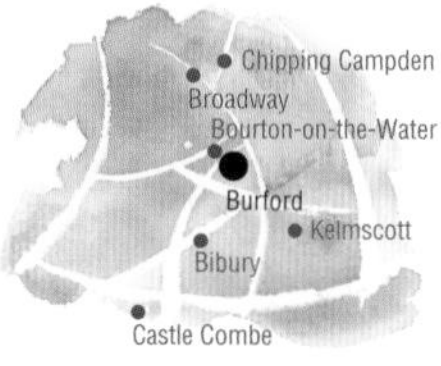

優しい色合いの壁が続く

時間に追われた旅人ならば、きっと気づかずに通りすぎてしまうかも知れない。オックスフォードにつながる忙しい幹線道路から一歩入ると、そこは人の歩く速度さえのんびりとした、バーフォードの村である。このあたりの他の村と同様、今も昔も牧羊が主な産業ときく。確かに、何本かの通りの向こうは小川の流れる広い原っぱで、目に映るのは点々と散る羊の群ればかり。地元で産出する石を使った家並は、淡く柔らかな薄黄色。建築家クリストファー・レンはロンドンのセント・ポール寺院を建てるにあたり、必ずこの地の石を使うこと、と特に注文をつけた。うららかな日差しの下で、街路樹に咲く花によくうつる壁の色である。

目に楽しいハイストリートの坂道

ヒル（The Hill）の上から、緩やかな坂道となったハイストリートを見下ろす。商店が並ぶその突き当たりに、小さな橋があるらしいのがなんとかわかる。道を下る中ほど、石瓦の屋根が連なるシープ通り（Sheep st.）と交差する角にあるのが、1561年建造と記録に残るトルセイ（The Tolsey）。村での商売を管理するギルドの施設であったが、今は郷土資料館。ただし太い柱に支えられたテラスは、未だに、麦わら帽子の魚屋さんの即席市場に屋根を提供しているのだった。村の商店を眺めながら、なおもゆるゆると坂を下る。歩道に溢れるほど、庭園用の彫像を並べたガーデン・ファニチャー専門店。気取ったポーズのギリシャ風女神の隣で、牙をむくとぼけた猪の像がユーモラス。ウィンドウいっぱいに地元名産の蜂蜜を並べたデリカテッセン（Mrs Bumbles）もある。古道具屋の段ボール箱の中には、カメラがまだ珍しかった時代の、セピア色の写真の束が、無造作に突っ込まれていた。自慢の子羊を抱えた農夫の、やや緊張にこわばった、百年前の顔つきが渋い。

❶The Tolsey Museum
トルセイ・ミュージアム
High St. Burford OX18
村の郷土資料館。テラスは、日中だけ魚屋さんに変身。

❷Burford Parish Church
バーフォード･パーリシュ教会
緑の芝生に囲まれた教会。背後にはウィンドラッシ川が流れる。

❸Wren Gallery
ウレン･ギャラリー
4 Bear Court, High St. Burford OX18
☎01993-823495
10.00-17.00 無休
イギリスの19、20世紀の水彩画を中心に展示するギャラリー。

❹Something Special
サムシング･スペシャル
51 High St. Burford OX18
☎01993-823172
9.30-17.30 無休
レトロな色合いがシックな木製の人形など、英国趣味のクラフトがある。

忘れがたい橋からの風景

何気なく脇道をうかがうと、心に残る眺めにぶつかることがある。坪庭に面した小さな画廊（Wren Gallery）、静かな街角の陰にちらりと顔をのぞかせる教会（Burford Parish Church）。道草を楽しみながらたどり着いた村のはずれ、荷馬用に架けられた中世の石橋は、車が一台やっと通れる幅ながら、元気に現役活躍中。欄干にもたれて川面に映る花影を楽しむ。もともとは水車小屋ででもあったのだろうか、庭先をかすめて白鳥がゆき過ぎる、橋のたもとの民家は、印象派の絵にでもありそうな風情、明るい光のゆらめきの中に佇んでいる。

石橋からの美しい眺め。ウィンドラッシ川での釣りは、ローカルの人の楽しみ。

❻The Golden Pheasant
ゴールデン・フェザント
91 High St. Burford OX18
☎01993-823417
12.00-14.00, 19.00-21.00 無休
ハイストリートの中ほどに位置するゴールデン・フェザント・インの中のレストラン。料理の彩りに気を配ったメニューは、洗練された英国料理との評判。

❺Mrs Bumbles
ミセス・バンブルズ
31 Lower High St. Burford OX18
☎01993-822209 8.30-17.30 無休
食いしん坊には見逃せないデリカテッセン。（左）蜂蜜瓶のクマのつぶらな瞳が、通りを行く人に愛敬を振りまく。（下）奥のショーケースには、計り売りのチーズやピクルスなどグルメの味がある。

❼Huffkins ハフキンズ
98 High St. Burford OX18
☎01993-822126
9.00-17.00 日曜休
ランチタイムには手作りのパンとケーキが飛ぶように売れるという、ベーカリーも兼ねたティールーム。小さなコテージ風の部屋の片隅には、レトロ調のレジがさりげなく置かれている。

❽The Lamb Inn ラム・イン
Sheep St. Burford OX18 ☎01993-823155 FAX 01993-822228
石造りの建物の中に一歩入ると、敷石でできた床やアンティークの置物に、15世紀からの歴史を感じる。各寝室は、違ったインテリアで整えられ、フローラル調、カントリー調など様々。コテージ風の小じんまりとした宿。

ローカルパブで寛《くつろ》ぎの時間

ランチ、あるいはちょっと休憩という時には、ハイストリートに何軒もの居心地よさそうに古びたパブがある。そんな一軒、"黄金の雉《きじ》"亭（The Golden Pheasant）。雉を意味するフェザントは、お百姓の隠語として使われることもあるとか。田舎の普通の家のサロンめいた、大きなソファーの置かれたゆったりとしたつくりが、お酒を飲まない人にも寛げる雰囲気。梁《はり》に『パブを失うときは、空っぽの身でイングランドの終焉を見るとき』という銘が書かれている。けだし至言と、村人の賑やかな話し声がこだまするフロアを見渡して、独りごちするのである。

ロンドンからの行き方

【鉄道】ロンドンのパディントン駅から、最寄りのオックスフォード駅まで45分。駅からタクシーで村まで約25分。

【車】M40でオックスフォードへ、さらにA40で村まで。ロンドンから約2時間。

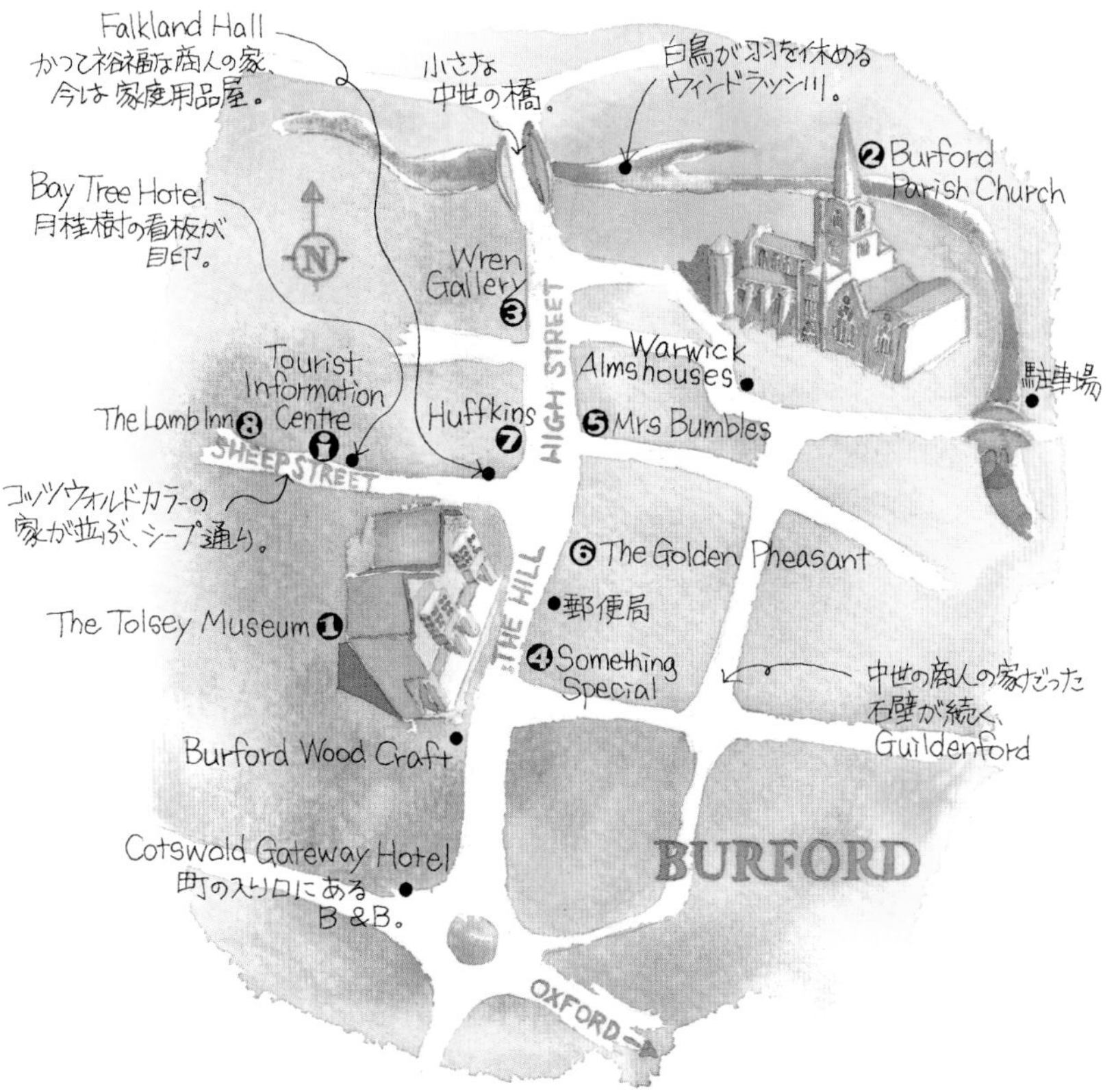

KELMSCOTT

ケルムスコット

ウィリアム・モリスの愛した妙なる館は、テムズ川のほとりに、静かな影を落とす。

アーティストの情熱を秘めて

小鳥の囀《さえず》り以外は、何も聞こえない。静寂がケルムスコットの村を支配している。

ウィリアム・モリスはこの村のエレガントなエリザベス朝時代の邸宅、ケルムスコット・マナー（Kelmscott Manor）に一目惚れして、1871年、友人である画家ロセッティを誘い居を構えた。妻子のための夏の別荘という心づもりであったが、皮肉にも、そこは彼の妻とロセッティの不倫の愛の巣となってしまう。

瞑想に耽《ふけ》るモリスの姿のレリーフが嵌《は》めこまれた、メモリアル・ホール（Memorial Hall）を過ぎて100mほど、モリスの娘が後に「夏の素晴らしい一日、ケルムスコット・マナーはこれ以上もない理想の場所」と謳《うた》った館は立つ。

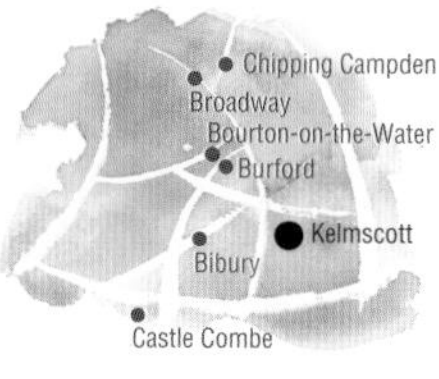

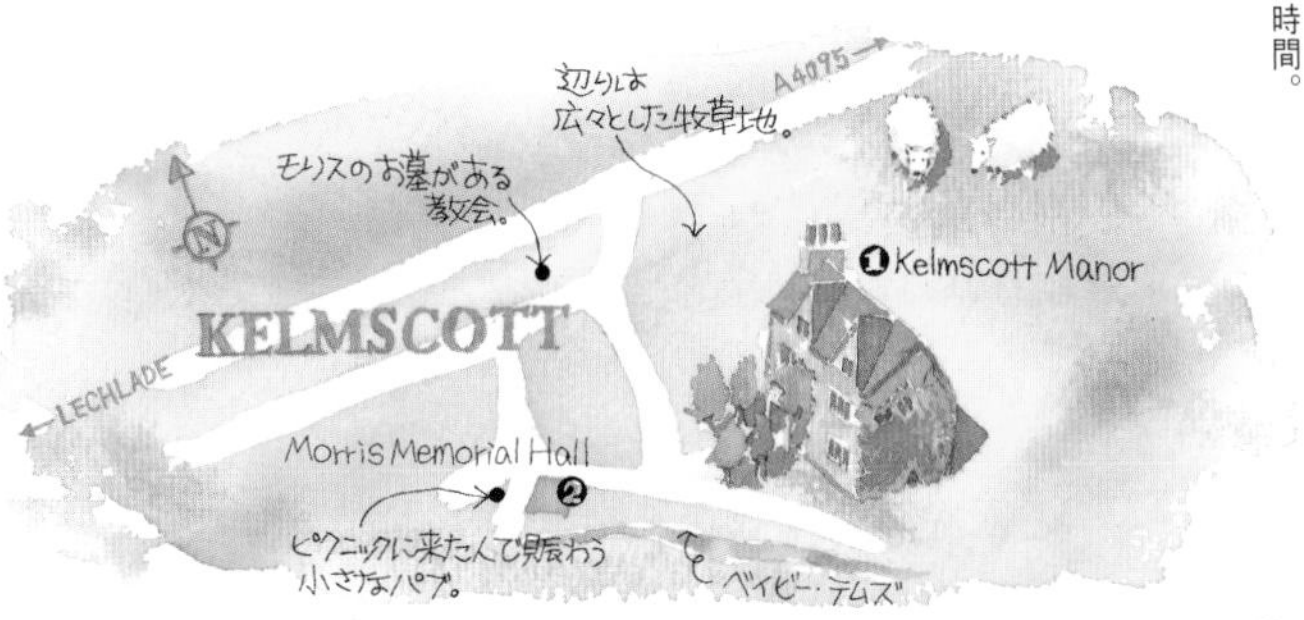

ロンドンからの行き方

【鉄道】ロンドンのパディントン駅から、最寄りのオックスフォード駅まで45分。駅からタクシーで村まで約30分。

【車】M40でオックスフォードへ、さらにA40、A4045で村まで。ロンドンから約2時間。

❷Morris Memorial Hall
モリス・メモリアル・ホール

モリスの娘メイが建てたヴィレッジ・ホール。1933年にジョージ・バーナード・ショーによって開館された。北壁には、モリスが瞑想に耽る姿の彫刻を見ることができる。

❶Kelmscott Manor
ケルムスコット・マナー

Kelmscott, Lechlade GL7
☎01367-252486
水曜10.00-13.00、14.00-17.00と第三土曜14.00-17.00のみ開館（10月~3月休館）

ウィリアム・モリスが1871年から1896年までの晩年を過ごした家は、16世紀建造の館。邸内には、生前の所有物や作品の他に、モリスと芸術活動を共にしたアーチストの作品も展示している。

今日では、花鳥画にもなぞらえる優美なテキスタイル・パターンが有名なモリスだが、文学者、思想家としても高い評価を受けている。しかもその重要な作品の多くは、ケルムスコットを制作の場として生み出されたのだという。マナーにはモリスにまつわる貴重な資料が今も保存されている。苦い思い出がまつわるにも拘《かかわ》らず、別荘を愛し続けたモリス、遂には村の教会に葬られた。密やかな緑陰にあるその永遠の眠りの場所を見つめながら、一人のアーティストをそこまで引き付けた魅力について考える。

村のはずれに位置するマナーの裏側は、広々とした草地。モリスが〝ベイビー・テムズ〟と呼んだ、まだ小川のようなテムズ川が蛇行する。この川が延々と流れて、ロンドンの橋の下をくぐり、大海へそそぐかと思うと、不思議な気がする。

のどかな春の昼下がり、遠くをゆるゆると進む鮮やかなペンキの川船を眺めながら、持参のワインやサンドイッチで、草上の昼食をしゃれこむとしようか。

英国風における三つの謎

日本で英国風といわれるもの、ありますね。たとえば英国風山高パン。上がこんもり盛り上がったあの食パン、いかにも英国のカントリーハウスの食卓のイメージなのに、本家のはずの英国ではなぜか見つからない。ローフと呼ばれる一斤のパンは形こそ似ていなくもないけれど、かちかちの固い皮と重い生地で、日本製英国食パンとは全く別のもの。むろん、その厚切りトーストなんてあるわけない。

さらに、市販のマーガリンのパックには専用の差し込み口まで作ってあるバターナイフ。魚用を小ぶりにしたあの形で、英国のテーブルセッティングにも当然含まれていると思っていたら、これまた、ない。どうするのかというと、小さめのテーブルナイフが各自に配られる、または、田舎の気取らぬ家庭なら、使用中の肉用ナイフで、中央に置かれた大きなバターの塊を勝手に切り取るのが普通らしい。

それをいうなら、一番の謎はティーポットである。耐熱ガラス製の、中央のポンプのようなフィルター部分を押して茶葉が漏れないようにする、おなじみの方式。ところが、紅茶の本場英国では、何とそれはコーヒー用！　ティーには絶対に使わないそうだ。一体誰だ？　日本での使い方を広めたのは。

ピークディストリクト

PEAK DISTRICT

ベイクウェル	BAKEWELL
カースルトン	CASTLETON
アッシュボーン	ASHBOURNE
バクストン	BUXTON
ハザセッジ	HATHERSAGE

BAKEWELL

ベイクウェル

名物にうまいものあり。
水のきれいな山里は、秘められたグルメの町でもある。

のどかな山の里

ロンドンから北へ約250km、なだらかな平地の多いイングランドには珍しい山岳地帯である。ピーク（峰）ディストリクトという呼び名はそこに由来している。うねうねと続く山並みと鋭い岩が織りなす風景は、英国人の興味を大いにそそるらしく、近郷の旅行者が目立つ地域なのだ。ベイクウェルは国立公園に指定されているエリアの中では最大の町。といっても、昔の街道町の面影を色濃く残した町並みは、あくまでこじんまり。ただ、週に一度の青空市の時ばかりは、日用品を求めて集まる近郷近在の人々で賑わう。ノースチャーチ通り（North Church st.）を上ってゆこう。古めかしい教会の背後、遠く眼下には身を寄せ合うように固まった屋根の列が臨める。

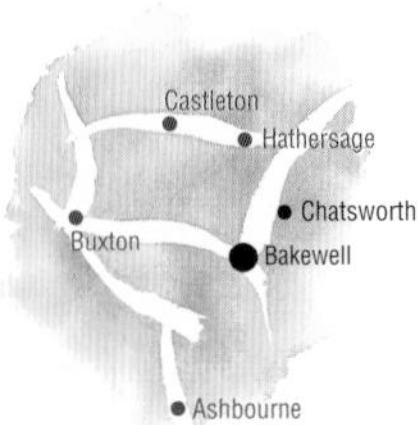

ベイクウェルはおいしい

ベイクウェルと尋ねると、人々は「ああ、あのベイクウェル・プディングの町ね」と答える。それは、言ってみれば甘い卵のタルトなのだけれど、おいしいものにありがちな偶然の女神のはたらきで誕生した。19世紀のこと、ベイクウェルのとあるコックが間違って、タルトの中に、ジャムのかわりに卵液を注いでしまった。ところがこれが大評判の味となり、この町のベーカリーでしか売っていない名物菓子として知られるようになったという。持ち帰りもできるが、絶対に温めて食べるべき。中身がとろりと溶けて、口中、アーモンドの香りとともに、えもいわれぬおいしさが花開く。

　山の幸が豊富で、食べ物に関してはとにかくリッチなこの地方。オーツケーキも試したいもののひとつ。オーツ麦のパンケーキで、少し厚めのクレープといったところか。チーズやハムを巻いた温かな一品は、軽めのランチに丁度いい。

　朝食メニューに、ブラック・プディングを見かけるのも、このあたりならでは。その正体は血詰めソーセージと聞くと、思わず引いてしまうが、勇気を奮って食べてみると、これが意外にいけるのである。スパイスが効いているので生臭くないし、普通のイングリッシュ・ソーセージに比べると油っこくない分、むしろ食べやすいかも。こうした新しい舌の喜びの発見に、旅の醍醐味はあると思う。

清らかな水の流れに心を洗う

お腹が一杯になったところで、ブリッジ通り（Bridge st.）から川沿いの散歩道へと降りる。中世の石橋のかかるうららかな小川の水の清冽さには目をみはる。虹鱒だろうか、鮮やかな朱色の腹を水面にかかる日の光にきらめかせて、魚影がよぎった。フライ・フィッシングを愛好する地元の釣師の「鱒がまったくの天然で孵化するのは、イングランドではこのピークディストリクトだけなはずだよ」という誇らしげな言葉がよみがえる。

❶All Saints Church
オール・セインツ教会
小高い丘の中腹に建つ教会。

❷The Original Bakewell Pudding Shop
オリジナル・ベイクウェル・プディング・ショップ
The Square, Bakewell DE45 ☎01629-812193
8.30-17.30（ティールーム 21.00） 日曜休

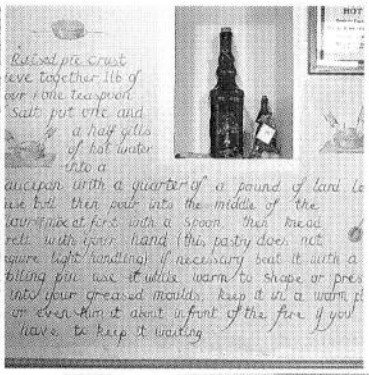

壁に描かれたレシピ。

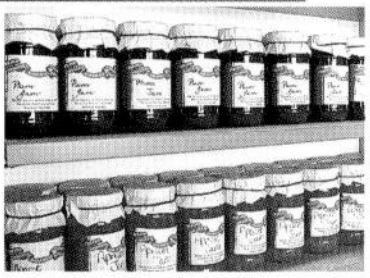

（上）温かいうちに食べると隠し味が口の中に広がるベイクウェル・プディング。
（右）種類が多い自家製ジャム。

❸Bloomers ブルーマーズ
Water St. Bakewell DE45
☎01629-814844
8.30-17.30(日曜 11.00-17.00) 無休
アップルパイ、エッグカスタードなど、山高く積み上げられたお菓子。紅茶のよき友。

小川の舗道は地元の人たちの憩いの場所。

❹Croft Cottages
クロフト・コテージズ
1 Croft Cottages, Coombs Rd.
Bakewell DE45
☎01629-814101

ブリッジ通りの小川に架かる橋を渡った所にある、家庭的なB&B。ベイクウェルがすっかり気に入り、ロンドンから移り暮らしているオーナー夫婦。大きな犬も家族の一員といった、ホスピタリティのある安心の宿。

❺Rutland Arms Hotel
ラトランド・アームズ・ホテル
The Square, Bakewell DE45
☎01629-812812
FAX 01629-812309

どこからベイクウェルに到着しても、見逃すことはないロケーションにある。作家ジェーン・オースティンが『自負と偏見』をしたためたのがこのホテル。滞在した部屋はスィートルームとして、現在でも遠来の客の寝室になっている。

チャッツワースと名付けられたテーブルウェア。

❻Chatsworth House
チャッツワース・ハウス
Chatsworth, Bakewell DE45 ☎01246-582204
11.00-16.30 11月〜3月下旬まで休み

エリザベス調の邸宅は、華麗な美術品の宝庫。庭園もまさに芸術品と言われる美しさ。図書室は、個人が有する蔵書の数では英国で指折りに入るという立派さ。敷地内には農場もあり、羊、豚や鶏などの動物を身近に見ることができる。ファームショップでは、この農場で製造された乳製品をはじめ、ビスケットやジャムも販売。

イングランド至宝の名館

ここまで来たら、イングランド一とも謳われるチャッツワース（Chatsworth）の館まで、ぜひ足をのばしたい。ベイクウェルから車で約15分。緑なす田園のただ中、一幅の絵のようにその豪壮な屋敷はあった。デヴォンシャー公爵の居館であり、数十とも知れぬ部屋は、その一つ一つが歴史をかけて培われた美術品のごとくの贅沢さ。レンブラントやゲインズボローが含まれるアート・コレクションも、個人のものとしてはヨーロッパ屈指と言える。加えてさらに、英国式庭園の粋をきわめたと称賛される広大な庭。何やら圧倒される思いで溜め息をもらす傍らでは、せわしない人の営みなどどこ吹く風、公爵所有の羊たちがのんきに草をはんでいるのだった。

ロンドンからの行き方

【鉄道】ロンドンのセント・パンクラス駅から、ダービー駅で乗り換えて、最寄りのマトロック駅まで約2時間40分。駅からバス、または、タクシーで町まで約25分。

【車】M1で28番インターへ、さらにA38、A6で町まで。ロンドンから約3時間20分。

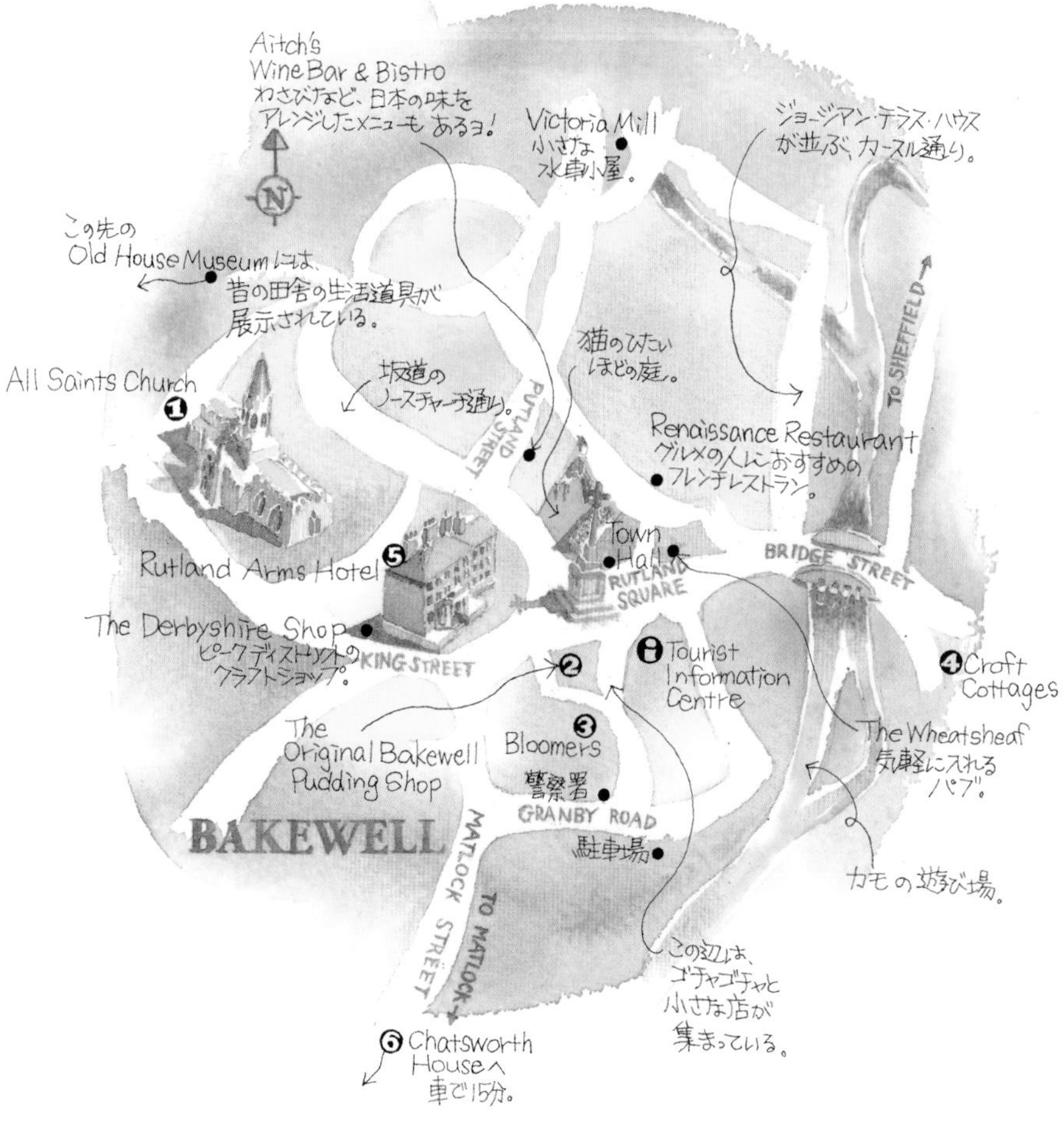

CASTLETON

カースルトン

風光明媚な山あいの村で、大自然の造形に酔う。
アウトドア派を満喫させる隠れ里。

ハイキング客を大歓迎

両側にそそり立つ岩壁の間を細く急な山道がはしる。野性的で力強い自然の美に、イングランドの田舎に対するイメージを改めさせられる思いがする。

ホープ・ヴァレーの谷間に位置するかつての鉱山町カースルトン、折からのにわか雨に洗われて、青みを帯びた灰色の石壁がみずみずしい。石の十字架が立つ狭いマーケット・プレイスを、遠足の小学生の一団を乗せた大型バスが、よっこらしょとばかりに曲がってきた。この一帯、ハイキングの名所としてつとに名高い。村を起点に、登山道が四方にのびていて、週末はアウトドア・ライフを楽しむ人々が集う。"泥んこの靴も大歓迎" という看板がパブの軒先に揺れていたりするところも、いかにも。

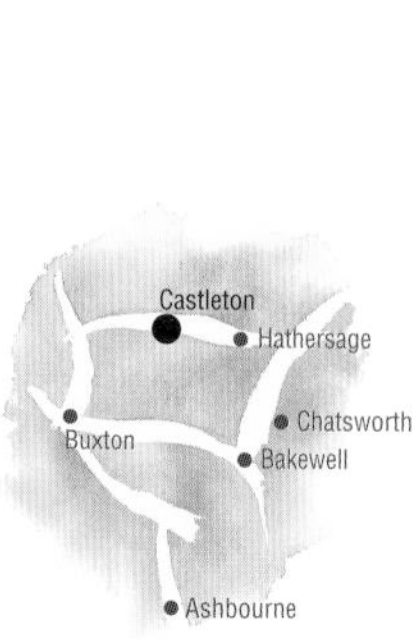

雄大な眺めに息をのむ、城のある丘

カースル通り（Castle st.）とストーンズ（The Stones）の交差するあたり、左手の民家の脇道めいた細い小路が、村の名前のもとにもなったペブリル城（Peveril Castle）への入口。11世紀、征服王ウィリアムの庶子を名乗る地方豪族によって建てられた城塞で、廃墟が今も残る。小高い丘の頂上の城を目ざす道は、さほどの距離ではないものの、かなりの急勾配。息がきれ、運動不足の身にははっきりいってツライ。ただし、城からの眺め、綿々と連なる緑の丘陵を一望する大パノラマは絶景の一言。登りの苦労を報いてあまりあるはず。

大地が生んだ美しき石

来た道をそのまま戻り、村の教会を横目に、ギフトショップやティールームが並ぶクロス通り（Cross st.）へ出る。目につくのは、愛称をブルー・ジョン（Blue John）という、天然石でつくられた土産物の数々。「ブルー・ジョンが採れるのは世界で一ヵ所、ここだけなのよ」ギフトショップの女性はわざわざ通りまで出て来て、あそこが採掘場の洞窟と、山の中腹、けし粒のような点を指さしてみせた。

青というよりは紫色の縞目がはしる杯盃《さかずき》は、ライトにかざすと、自然が生み出した微妙な文様がはっきりと映る。18世紀以来、半貴石として珍重されたブルー・ジョンは豪華な壺や花瓶にと加工され、富豪の邸宅を飾ってきたのだ。

カースルトンの周囲には、このブルー・ジョンを産出する洞窟を含め、大小幾つかの洞窟がある。スピードウェル洞（Speedwell Cavern）は、内部の運河をボートで遡りつつ見学するというスペクタクル性がうりもの。巨大な洞穴の門の内側に400年前の村の跡が残るのは、ピーク洞（Peak Cavern）。

❶Peveril Castle ペブリル城
ウィリアム征服王の重臣であったウィリアム・ペブリルによって、1086年頃に建てられた。

❷Harrison & Harrison ハリソン&ハリソン
Cross St. Castleton S30 ☎01433-620512
9.30-18.00 無休
現在でも発掘されるブルー・ジョンを加工したアクセサリーの店。18金やシルバーと組み合わせた、ピアス、ネックレス、指輪など。神秘的で繊細な色あいを見せている。

❸Treak Cliff Cavern トリーク・クリフ洞
Castleton S30 ☎01433-620571 9.30-17.30 無休
約400mのガイドツアーでは、一番大きいブルー・ジョンが見られる。

❺Hilary Beth's Tea Room
ヒラリー・ベスズ・ティー・ルーム
1 Laburnum Market Pl. Castleton S30
☎01433-620397
11.00-17.00(土曜、日曜 10.30-19.00) 火曜休
ミシンの台をテーブルの代わりに使っているティールーム。花柄模様のティーカップが石壁にかっかているのが、いかにも英国風。

村はずれに見つけた、石造りの一軒屋。庭には四季折々の花が咲き乱れている。

❹Ye Olde Cheshire Cheese
イ・オールド・チェシャー・チーズ
How Lane, Castleton S30
☎01433-620330
12.00-22.30 無休
山登りの人で賑わう村のパブらしく、泥だらけのブーツでも歓迎と、看板に書かれている。それでも、行儀よく脱いだブーツが入口に置かれていた。昔のローカルの人々を写した白黒写真が壁に掛かり、和やかな雰囲気で入りやすい。

❻Ye Olde Nag's Head Hotel
イ・オールド・ナグズ・ヘッド・ホテル
Cross St. Castleton S30
☎01433-620248 FAX 01433-621604

17世紀には馬車亭だった。窓から見る、ペブリル城やなだらかな丘は、旅の印象的な風景の一つとして思い出に残る。天蓋ベッドの部屋はしっとりと落ち着いた雰囲気。宿主のチャップマン氏をはじめとする、フレンドリーなスタッフがゲストを歓迎。

大自然の不思議探検

垂れ下がる石のつらら、鍾乳石がおもしろいからと薦められ、村から車で8分ほどのトリーク・クリフ洞（Treak Cliff Cavern）を訪れた。この道20年のベテランガイド、ジムさんに、暗くひんやりとした内部へと案内される。懐中電灯の輪の中に大きな青黒い石の層が浮かぶ。世界最大のブルー・ジョン。これを動かしたなら洞窟が崩れ落ちてしまうだろうと、ジムさん。夢のほら穴と呼ばれる一角は、まさに幻想の世界。幾千ものろうそくを逆さにつるしたような奇観が拡がる。「次は妖精の岩屋だよ。妖精を信じないって？まあ見てごらん」電灯で照らされた一隅には、何万年もかけて形作られた、小さな小さな洋服かけのフックがあった。自然の造形の妙に、人間としては、ただただ頭を下げるばかり。

ロンドンからの行き方

【鉄道】ロンドンのセント・パンクラス駅から、シェフィールド駅で乗り換えて、最寄りのホープ駅まで約3時間15分。駅からバス、または、タクシーで村まで約30分。

【車】M1で29番インターへ、さらにA617、A619、A623、B6001で村まで。ロンドンから約3時間50分。

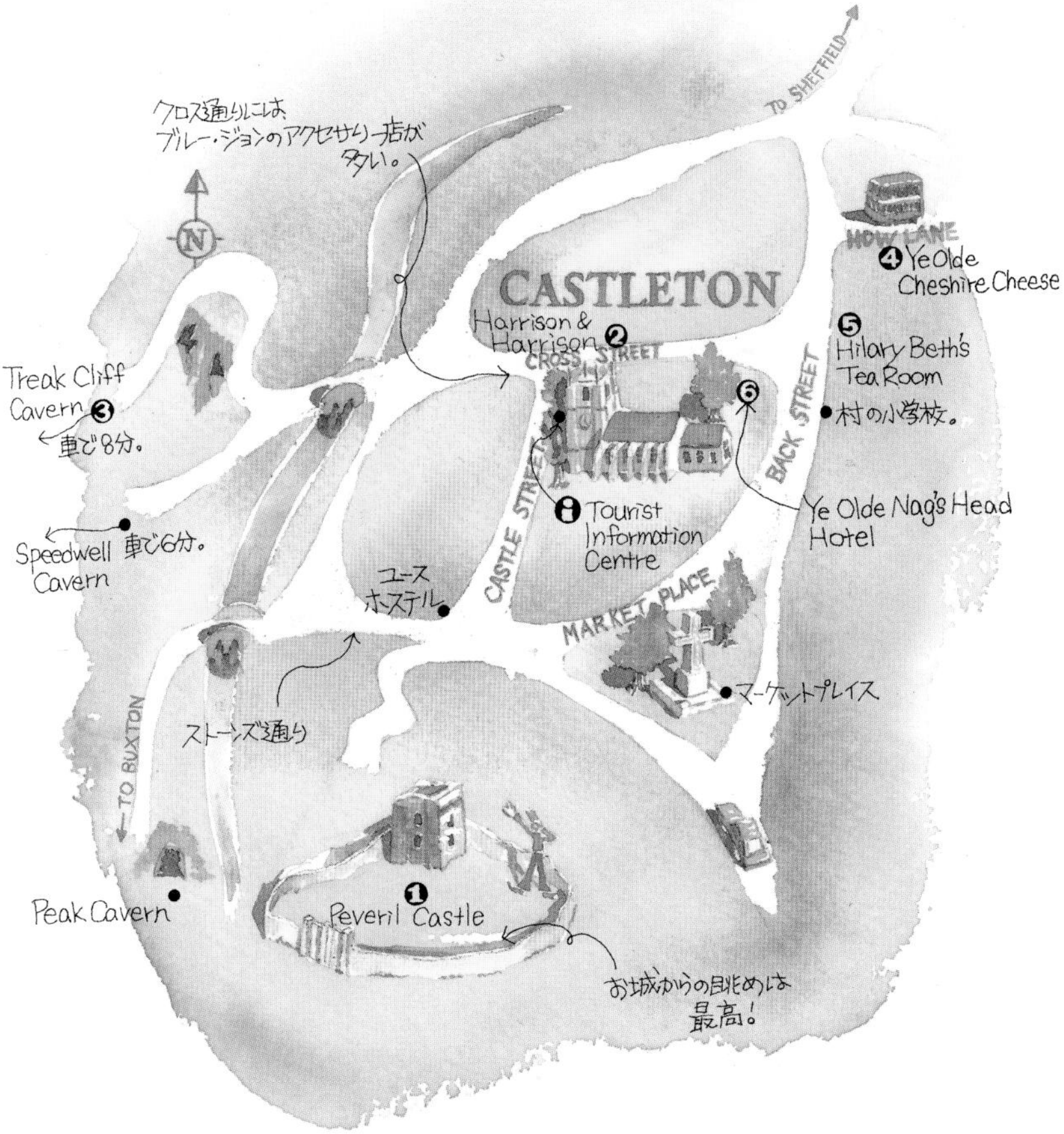

ASHBOURNE

アッシュボーン

素朴な温かみが町にも人にも感じられる。
鄙びた田舎のやさしさに出会う。

教会通りの古びた風景

古くからのマーケットタウン、アッシュボーンに着いたなら、まずチャーチ通り（Church st.）へと足を向ける。黒ずんで重々しい建物が続き、遠い時代の雰囲気が今も強く漂う。その門構えといい、大きさといい、ひときわ威厳があるのはオールド・グラマースクール（The Old Grammar School）。エリザベス1世の命で建てられた。そのはす向かい、向き合った二対のかまぼこ型の家（Pegge's Almshouses）は、貧しい人を収容する施設であったという。びっくりするほど小さなドアに、当時の体格のほどが偲ばれる。そういえば、180cmの長身だったヘンリー8世は人々から"巨人"とあだ名されていたのだったっけ。しかし何といっても、チャーチ通りを代表し

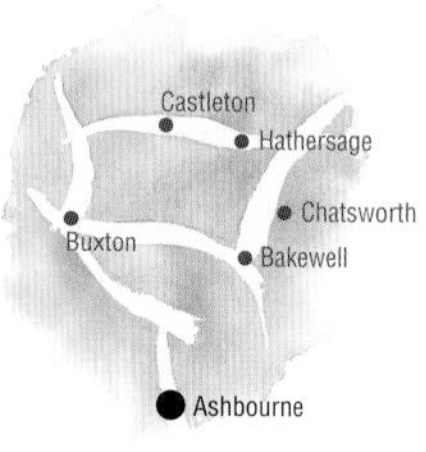

てはばからないのは、セント・オズワルド・パーリッシュ教会（St Oswald Parish Church）である。あのうるさがたの女流作家、ジョージ・エリオットをも、その美しさで感嘆せしめた。すっくと空に突き出た尖搭の屋根は、小人のとんがり帽子にも似た鋭い錐形、背筋のしゃんとのびた清々しい印象がこの教会にはある。

ユニークな町の名物

アンティーク・ショップを冷やかしながらチャーチ通りをとってかえすと、道にアーチ状にまたがった珍しい看板が見えてくる。グリーンマン・アンド・ブラックズ・ヘッド（Greenman and Black's Head）、17世紀には、宿屋の名前としては世界で一番長いと自称。緑の男の絵を笑顔で見下ろす黒人の頭部の彫像、というシュールな意匠がなかなか。看板をくぐって右手、アッシュボーン・ジンジャーブレッド・ショップ（The Ashbourne Gingerbread Shop）は百年同じファミリーによって経営されている由緒正しきベーカリー。ジンジャーブレッドマンは子供のいたずら描きのような、人を形どった素朴なビスケットで、英国では最もポピュラーなお菓子のひとつ。ただし、アッシュボーンのものは、ナポレオン戦争の際に捕虜として連れてこられたフランス人より秘伝のレシピで作られているので、他とはちょっとひと味違うのだという。ヨーロッパ大陸などはるか遠くのこの地で、フランスの味が受け継がれているなんて、これこそまさに歴史の妙味。

❶**The Old Grammar School** オールド・グラマースクール
古い町並みが続くチャーチストリートの中でも、その重厚な姿が印象的。現在も小学生の学びの館。

朝市が開かれる木曜と土曜の朝は、町の人々も早起きして、新鮮な野菜などを求める。

わんぱく坊主の形をしたジンジャーブレッド。素朴な味わいが、英国伝統の風味。

❷**The Ashbourne Gingerbread Shop**
アッシュボーン・ジンジャーブレッド・ショップ
Blenheim Rd. Ashbourne DE6 ☎01335-343227
8.30-17.30(金曜 8.00-17.30, 日曜 11.00-16.30) 無休
焼きたてパンのにおいがするお店には、フレッシュなパンを買い求める人が、入れ替わり立ち替わり入ってくる。

アッシュボーンと名付けられたカットは、息の長いデザインで、人気が高い。

❸The Derwent Crystal Craft Centre

ダーウェント・クリスタル・クラフト・センター

Shawcroft,Ashbourne DE6 ☎01335-345219 9.00-17.00 日曜休

クリスタル製品の直売店。ショップの奥はワークショップになっていて、朝早く行くと、職人の仕事風景を傍で見ることができる。

❹Paula Coker-Mayers

ポーラ・コーカー・メイヤーズ

Coach House, 52 The Firs, Ashbourne DE6
☎01335-300145

赤い石造りの建物は、まるで童話の中の館。大きな窓から陽が差し込むラウンジでは、わが家のように寛げる。寝室のクラシカルなインテリアに囲まれて、心地よい眠りにつけそう。

❺Callow Hall Country House Hotel

カロウ・ホール・カントリー・ハウス・ホテル

Mappleton Rd. Ashbourne DE6
☎01335-343403 FAX 01335-343624

ドライブウェイから木立の間に、荘厳な建物が覗く。格調と気品に溢れる調度品をしつらえた館内は、小さなお城のよう。寝室からは、丘陵を臨む緑豊かな景色が広がる。庭園で採れたベリーなどの自家製ジャムやビスケットも、ホールで販売している。フレッシュフルーツや暖かく調理した、チョイスの多い朝食も嬉しい。

ハンドメイドのぬくもり

もともと食器やガラス器の生産が盛んなダービシャーだからだろう。アッシュボーンにも、創業は1980年と新しいが、質の高いガラス工場がある。ダーウェント・クリスタル（Derwent Crystal）は伝統的な手作りが自慢。見学者を気軽に招いてくれる作業場では、真っ赤に焼けて飴のようなガラスを吹く姿が見られる。その隣のセクションでは真剣な眼差しでカットを刻む職人。いずれも何年もの修業を経てようやく一人前になるのだ。その製品は普段づかいに向いた気取りのなさがいい。どこかこの町の人々に相通じるところがある。質朴で、真面目で、温かくて。「町を代表するものとして、女王陛下にも献上しました」工場の支配人は無口な職人たちに代わって、にっこりと教えてくれた。

ロンドンからの行き方

【鉄道】ロンドンのセント・パンクラス駅から、最寄りのダービー駅まで約2時間。駅からバス、または、タクシーで町まで約20分。

【車】M1で24番インターへ、そこからA6、A5111でダービーへ、さらにA52で町まで。ロンドンから約3時間。

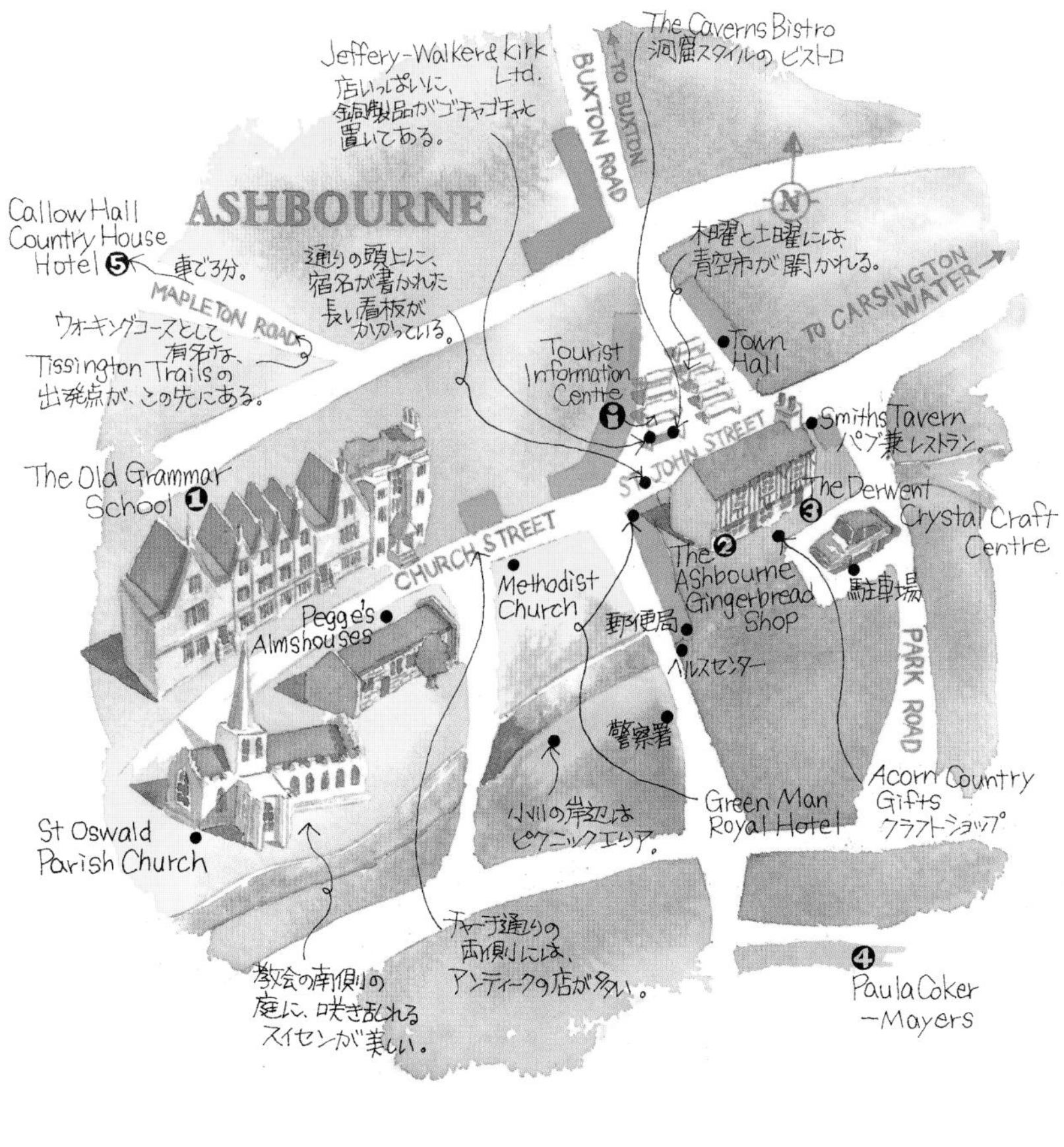

BUXTON

バクストン

スコットランド女王メアリーも愛した温泉地は、
優雅なる貴族生活の甘やかな香りを残して。

王侯貴族の温泉地

バクストンを潤す温かな泉水を、最初に有名にしたのはお風呂好きの古代ローマ人。故郷を遠く離れて未開の地に進駐した彼らには、まさに神の恵みに思えたに違いない。

以来二千年、ローマ人の遺跡は時の流れに失われてしまったけれど、豊かな温泉地としての名声は、今に残る。スコットランド女王メアリーはその湯を愛でた一人で、この地を離れるにあたっては、惜辞の印にと、ダイヤモンドの指輪で自分の名前を窓に刻んだ、と古き言い伝えにいう。

バクストンは、おしゃれな社交場兼湯治場として宮廷人が集う町でもあった。政治的工作や様々な陰謀も、ロンドンよりむしろ、この町のサロンのレースのカーテンの陰にて企てられたのだ。

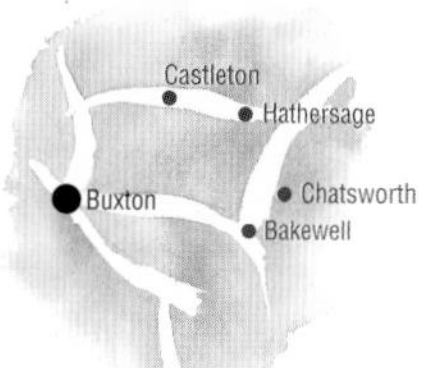

❸Old Hall Hotel オールド・ホール・ホテル
The Square, Buxton SK17 ☎01298-22841
FAX 01298-72437

1550年に建てられた館は、スコットランド女王メアリーをゲストとして迎えた歴史をもつ。女王がバクストンを去り難い気持ちを刻んだという窓は、このホテルの一室であったと言われている。

❶The Pavilion パビリオン
St. John's Rd. Buxton SK17
☎01298-23114 10.00-17.30 無休
北イングランドの太陽の光がやんわりとふり注ぐ大きなコンサーバトリーの中で、画学生がスケッチをとっていた。英国式ガーデニングの魅力をかいま見るフラワーガーデンは、本場の美しさ。

❷Hargreaves
ハーグレイブス
16-18 Spring Gardens,
Buxton SK17
☎01298-23083
10.00-17.00 無休
英国カントリースタイルのテーブルウェア。人気の品は草花をあしらったポートメリオン。

ロンドンからの行き方

【鉄道】ロンドンのユーストン駅から、マンチェスター・ピカデリー駅で乗り換えて、バクストン駅まで3時間35分。

【車】M1で28番インターへ、そこからA38、A6でベイクウェルを通過して町まで。ロンドンから約3時間40分。

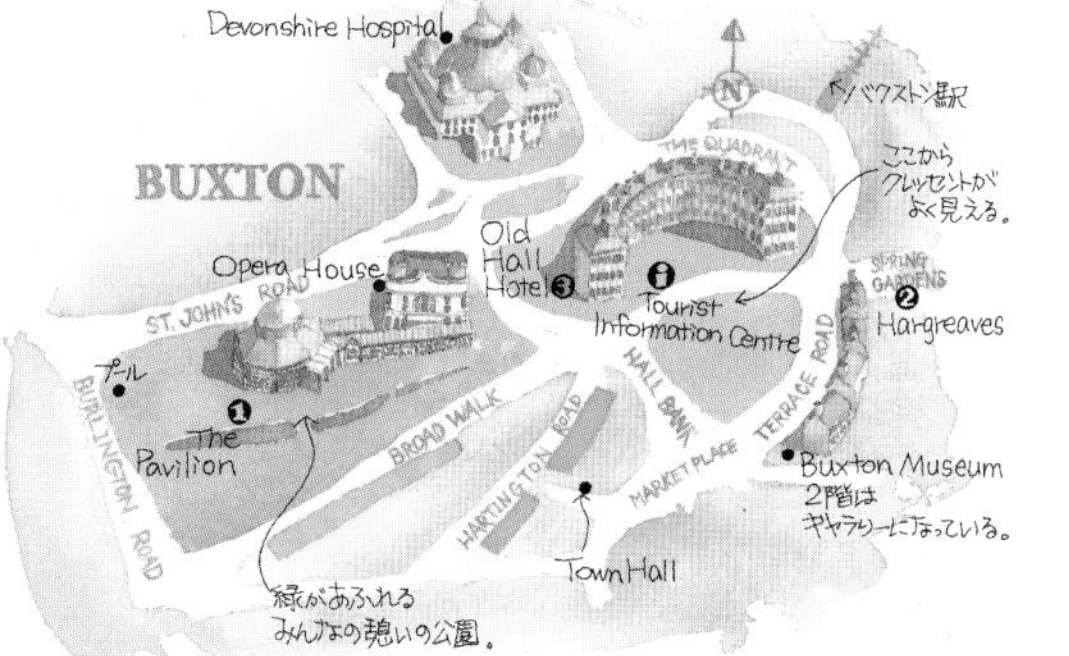

人々を今なお潤す泉

足を踏み入れると花の香りが迎えてくれる、ガラス張りのパビリオン（The Pavilion)、微妙な曲線にアールヌーボーの華を感じるオペラハウス（Opera House)、白鳥が羽を広げたような半月形のクレセント（The Crescent)、町の中心、緑の公園に面して残るこれらの建造物は、貴族が憩うた幾代もの時間を語る証人たち。

流行した温泉療法はわずかに続けられているが、現在もこんこんと湧きでる水は、バクストンの名を冠したミネラルウォーターとして、今では名高い。クレセントの向かいには、獅子の顔の水吐きがあり、空き瓶片手の地元の人が飲料水を汲みに来る。散歩の途中で喉が乾いたからという少女にならい、冷えた水を手にすくい口に含んでみると、紳士淑女を癒した名水が、爽やかに喉を踊るのである。

さらさらと清水が流れ出る獅子の口。

HATHERSAGE

ハザセッジ

「ジェーン・エア」を生んだ文学のふるさと。
献身的な愛の物語にふさわしい静けさに浸る。

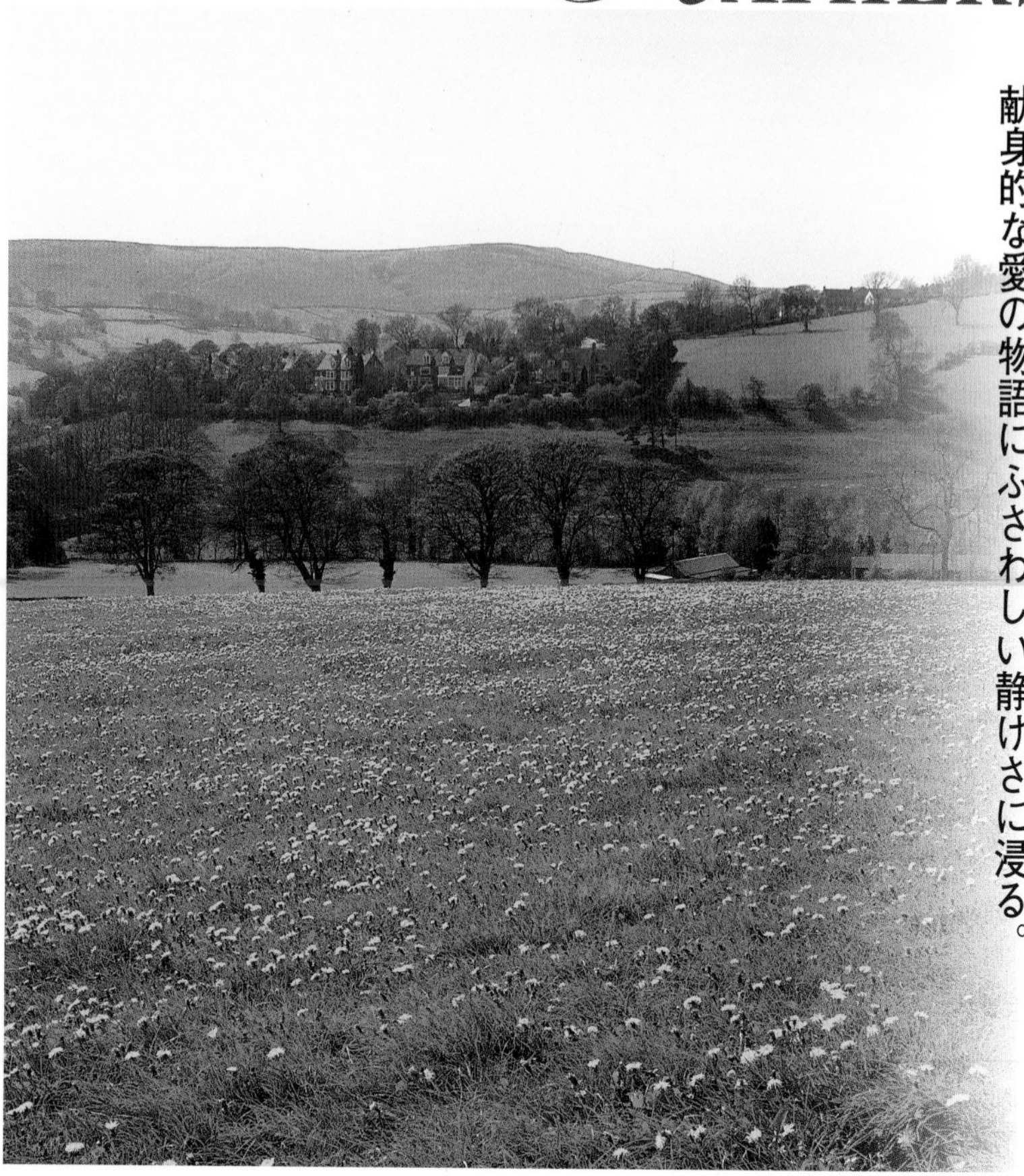

別世界を思わせる閑静な村

「北のシェフィールドからくる峠は、”サプライズ・ビュー“と呼ばれるのよ。わかるでしょ、あの工業都市から来た人がこの谷を見下ろして何と思うか」と宿の女主人。事実、シェフィールドからわずか13マイル（約21km）、連なる山並みの懐ろに抱かれて、ハザセッジは桃源郷かと思われるほどの別天地だった。

百五十年前、シャーロット・ブロンテが友人を訪ねてこの地に降り立った時も、同じ感慨を胸にしたのだろうか。彼女は名作「ジェーン・エア」の舞台をこの村にもとめた。名前こそ変えてあるものの、小説の中に登場するあの教会、この屋敷が、山里らしい穏やかな静けさの中に散見され、旅人を物語の世界へといざなうかのようだ。

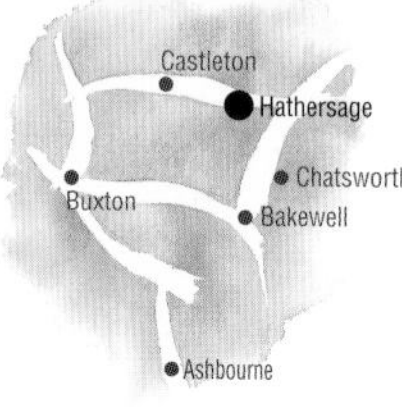

物語のゆかりを捜して

牧草地の脇、人が一人通れる程度の細い小道を上るとハザセッジの教会（St Michael's Church）にたどり着く。堂内には、あたりに勢力をふるった中世の豪族エア族の名が刻まれている。ブロンテのヒロインは、この一族から借りての命名だったのだ。

この教会墓地にはもうひとつ伝説が残る。森の英雄ロビンフッドの片腕、リトル・ジョンが葬られていると伝えられる、古い墓がそれ。

人里を離れ、羊が放たれた野を歩く。視界を遮る林の中に隠れるようにある灰色の館（North Lees Hall）が、ジェーン・エアが家庭教師として住み込んだソーンフィールドのモデルである。想像していたよりもずいぶん小さい。窓辺に飾られた野の花に、野趣をさそわれて、遠くまできたという思いが新たになる。

ロビンフッドとリトル・ジョンの出会いを描いたパブの看板。

リトル・ジョンの墓石。

❶St Michael's Church
セント・マイケル教会
1125年から同敷地に教会があったとされているが、現在ある教会は1381年の建造。塔には、悪天候から鐘の音を守るスレートがはめ込まれている。庭から見る村の眺めが素敵。

周囲は閑散と木立が続く。

❷North Lees Hall
ノース・リーズ・ホール
村から北へ約3.2キロ。ロバート・エアによって15世紀に建てられた石造りの建物。『ジェーン・エア』の中でソーンフィールドとして描かれた館のモデル。

村を囲むようにして続く緑の丘。

ロンドンからの行き方

【鉄道】ロンドンのセント・パンクラス駅から、最寄りのシェフィールド駅まで2時間40分。駅からバス、または、タクシーで村まで約30分。

【バス】M1で29番インターへ、さらにA617、A619、A623、B6001で村まで。ロンドンから約3時間半。

英国グルメ考

まずい食事の代名詞のように言われる英国料理。近ごろちょっと違う。以前は食べ物のことを考えるなんて時間の無駄と思っていたふしのある英国人だが、どうやら食文化に興味がわいてきたらしい。

TVでは料理番組が花盛りで、誰もが名前を知っているスター・シェフも誕生。あるシェフの一人は都会を避け、あえて辺鄙な田園に店を構えているけれど、それでも数ヶ月先まで予約がいっぱいとか、英国の海で獲れるシーフードの数々を紹介した料理本がベストセラーになるとか、かつては考えられない現象が続発。フィッシュ&チップスとローストビーフだけでは、もはや英国料理は語れませんぞ。

食材も豊富になり、一昔前はニンニクを見つけることさえ大変だったスーパーの棚も様変わり。大英帝国の名残りで、もともとインドや中国などアジア系エスニックには強い国柄ながら、今やカレー粉に並んで醤油や胡麻油、酒売場にはみりん、スパゲッティの隣にソバ、ついには、すし弁当まで扱う某大手スーパーも。遠い日本の食べ物でさえこうなのだから、他のヨーロッパ諸国の味の浸透ぶりは推して知るべし。英国に行くのはいいけど、食べ物がね、と二の足を踏んでいた人には朗報かも。

イーストアングリア

EAST ANGLIA

ウェルズ・ネクスト・ザ・シィ　WELLS-NEXT-THE-SEA
ロング・メルフォード　LONG MELFORD
ラヴェナム　LAVENHAM
ニューマーケット　NEWMARKET
オーフォード　ORFORD

WELLS-NEXT-THE-SEA

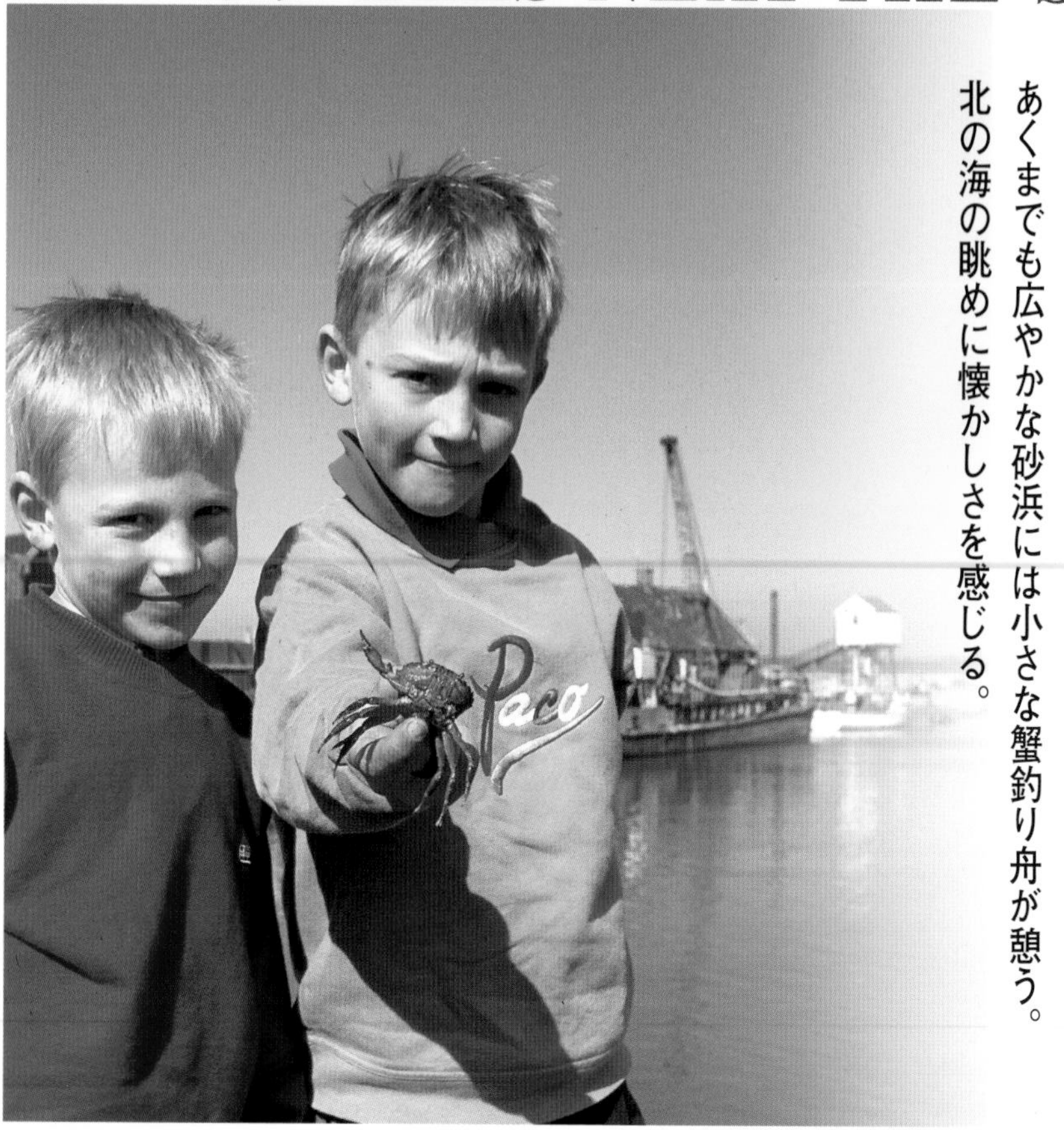

ウェルズ・ネクスト・ザ・シィ

あくまでも広やかな砂浜には小さな蟹釣り舟が憩う。
北の海の眺めに懐かしさを感じる。

鳥や獣の遊ぶ豊饒なる土地

ロンドンから北東へおよそ１００km余り、ノーフォーク、サフォークにまたがる農村地帯を総称し、イーストアングリアと呼ぶ。どちらかと言えば地味な土地柄ゆえに、昔ながらの質朴でのどかな田舎の雰囲気と、温かな人情が残る、そんな地域。

平坦な土地は作物を豊かに恵む。雲雀《ひばり》が高い空から朗らかなソプラノを聞かせてくれたり、生け垣に囲まれた畑の中の一本道では、立派な尾羽をつんと突き出した雉《きじ》が、悠々と草むらの中に消えていったりする。

どこまでも続く遠浅の砂浜、はるか彼方の海水は見る影もない。

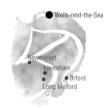

蟹漁で栄える遠浅の海の村

ウェルズ・ネクスト・ザ・シィは、北海に面した海辺の村。農業に加えて、蟹漁に代表される漁業が主な産業という。

釣り舟の停泊する埠頭では、子供たちが、ベーコンの脂身とおもりを吊しただけの簡単な仕掛けを海に投げては、しきりにたぐっている。糸の先にはやがて、大人の手ほどもある蟹が揺れながらあがってきた。「これで通算64匹目なんだよ!」父親と休暇に来て二日目という少年は自慢そうに目を輝かせて、蟹でいっぱいのバケツを見せてくれた。一日の終わりにはちゃんと海に帰してあげてね。

浅瀬に点々と船のもやう水路の眺めを愛でながら、1.5km離れたビーチを目ざす。埠頭のスタンドで求めた、獲りたてをそのままボイルした新鮮なシーフードをつまみながら、というワイルドさがここではお似合い。松林を背景に、カラフルなビーチハウスが並ぶ長い砂浜が見えてきた。遠浅の海岸は砂丘のように果てしない。潮の引いた時間、海は地平線の向こうにあるわずかな煌めきでしかなくなる。波の残した文様に鳥の足跡が重なってどこまでも続いているのが、白昼夢めいてちょっと不思議な風景。北の国らしい優しくもやった太陽の光のもと、潮風の中を舞う海水浴客の歓声に加わって、大きな砂の城づくりに挑戦しよう。

海辺の砂浜に並んだビーチハウス。夏は海水浴の人で賑わう。

甲羅の中にたっぷりと盛り付けられた、さっぱりした塩味の蟹肉サラダ。口の中でトロける美味しさ。

❶Nelson's ネルソンズ
21 Staithe St.
Wells-next-the-Sea NR 23
☎01328-711650
10.00-17.00 無休

潮騒を感じさせる小さなお土産

村で一番賑やかなステイス通り(Staithe st.)からやや奥まったあたり、入口の黒板に今日の海の天気情報を掲げたギフトショップ、オルカ・マウンテン(Orca Mountain)には海の香りが溢れている。世界中から集められたマリン感覚のグッズあれこれが店内を彩る。シックな色使いのブリキの船、古い絵地図を掲げた父の書斎の本棚を飾るのに、と小さなプレゼントを喜ぶ顔を思い描きながらのショッピング。

村の入口に立つヴィレッジポスト。村名と海の絵が描かれている。ノーフォークの平坦な土地を車で走った後で、やっと海岸にたどり着いたことを教えてくる。

その日の朝獲れた魚介類を埠頭の屋台で売っているおばさん。遠来の客に大きな蟹をサービスしてくれた。

❸Orca Mountain
オルカ・マウンテン
Unit 3, The Mayshiel, 42 Staithe St.
Wells-next-the-Sea NR23
☎01328-711722
10.00-19.00 無休
ヨットや船員の人形など、海をモチーフにした、マリン感覚溢れるクラフトショップ。

❷The Moorings
モーリングス
Freeman St. Wells-next-the-Sea NR23
☎01328-710949
12.30-14.00, 19.30-20.30 火曜休
蟹料理を食べるならここと，地元の人が太鼓判を押すレストラン。日替りの海の幸メニューが豊富。予約が望ましい。

❹Wells&Walsingham Light Railway
ウェルズ＆ウォルシンガム・ライト鉄道
☎01328-710631
平坦なノーフォークの緑地を走り抜けるミニ蒸気機関車鉄道。一日４往復、夏には５往復している。長閑な景色を眺めつつ、童心に返って汽車の旅が楽しめる。

”陽気な船員“と名付けられた路地の一角。潮の香が辺りに漂う。

❺Wingate ウィンゲイト
Two Furlong Hill,
Wells-next-the-Sea NR23
☎01328-711814
FAX 01328-710122
緑と草花に囲まれたエドワード調の建物は、ファミリー感覚に溢れるB&B。太陽が燦々と差し込む明るい寝室の窓からは、羊が草を食んでいる広大な緑地が見渡せる。のどかなウェルズの村にふさわしい宿。

巡礼の村まで汽車の旅

ウェルズ・ネクスト・ザ・シィの駅に止まるのは、おもちゃのようなミニ蒸気機関車。小型ながらも、一人前に煙を吐く雄姿に、子供たちは大はしゃぎ。隣村のウォルシンガム(Walsingham)まで30分の汽車旅行に出発進行。

ウォルシンガムはキリスト教ナザレ派の聖地で、聖母の社(The Shrine of Our Lady)に湧き出る水には、万病を癒す奇跡の力があるのだとか。巡礼者がそぞろ歩く通りは、聖母子像などイコンを商う店が目立ち、敬虔な空気が漂う。

海辺の村の陽気な雑踏とは違う、清潔な佇まいに宗教的情熱を秘めた、この村の趣きもまた一興かも。

聖母の社にある聖水の井戸。

ロンドンからの行き方

【鉄道】ロンドンのキングス・クロス駅、またはリバプール・ストリート駅から、最寄りのキングス・リン駅まで2時間。駅からタクシーで村まで約30分。

【車】M11で9番インターへ、さらにA11、A14、A11、A1065、B1105で村まで。ロンドンから約3時間10分。

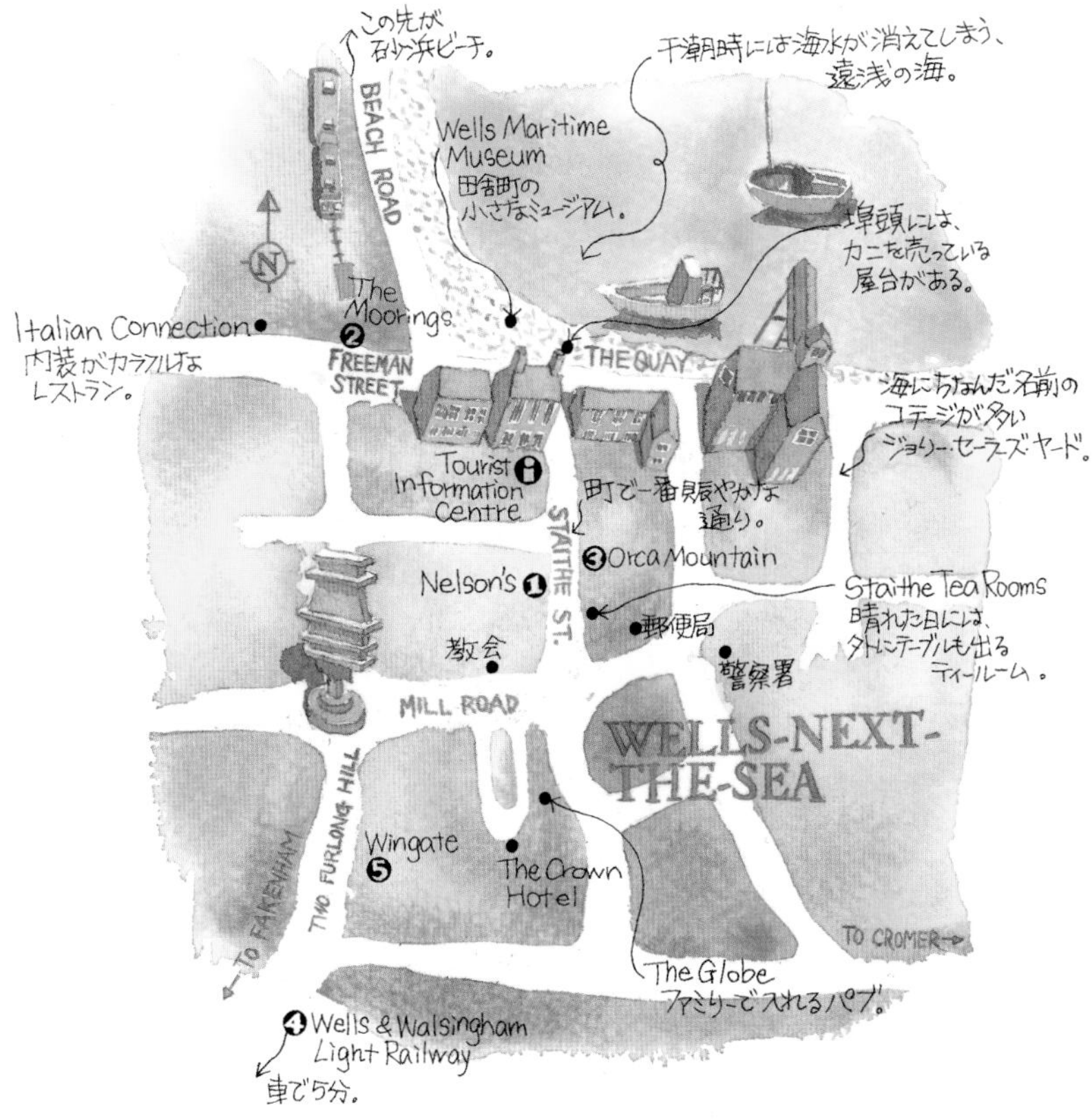

LONG MELFORD

ロング・メルフォード

どこまでも続くハイストリート、
瀟洒なるアンティークに古き佳き時代を思う。

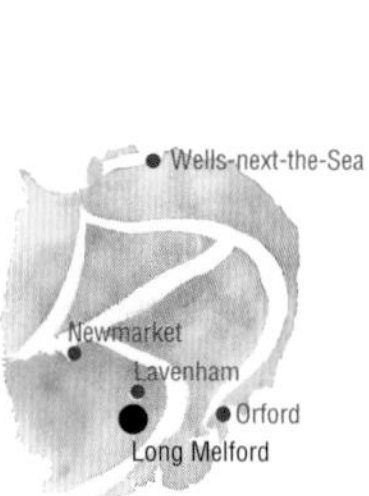

16世紀の面影を残す館

ウールの町として繁栄したロング・メルフォードには、その栄華を誇るような贅沢な館が二つもある。

ケントウェル・ホール（Kentwell Hall）。長い並木道の向こうに、人々がイメージするエリザベス朝の雰囲気そのままの、優雅な建物が見えてくる。長く打ち捨てられていたのを修復し、往時の姿を取り戻したのだという。おもしろいのは、昔の生活ぶりまで再現してしまったところ。夏場の週末には、16世紀風の衣装をつけた人々が、当時のままに働く姿が見られる。キッチンでは、裾を引きずる長いスカートに白いエプロンとキャップの女性が、煉瓦の壁をくり抜いたオーブンにパンをいれたり、丸ごとの仔豚を大きな調理用暖炉にかけたり、という具合。

一方、メルフォード・ホール（Melford Hall）は、アリストクラートと呼ばれる英国上流社会の人々の生活の一端を垣間見させてくれる。豪華な調度を品よくあしらった室内、広々とした庭園を軽やかに巡り歩けば、気分だけはすっかり古しえのレディ。また、ピーター・ラビットの作者としてお馴染みの、ベアトリクス・ポッターに関する展示もある。

❶Holy Trinity Church ホーリィ・トリニティ教会
天井を見上げると、1485年に建てられた当時の天梁が見える。

中世の教会でしばしの瞑想

メルフォード・ホールから道の反対側を少し戻る形で坂を上り、ホーリィ・トリニティ教会（Holy Trinity Church）へ。12世紀の終わりに建造された、威風堂々たるこの教会、素朴な中世のステンドグラスが今に残る。三位一体を暗示する、耳のつながった三匹のうさぎ。稚拙にもみえるそのタッチが、むしろ味わい深い。

教会の手前にある見晴らしのよさそうな赤煉瓦の建物はアームズ・ハウス（Alms House）、昔の貧民院。現在では普通の住居として使用されている。

長いハイストリートは骨董通り

ロング・メルフォードが〝ロング〟と冠される所以は、長いハイストリートにある。全長3マイル（約5・4km）と聞けばなるほど長い。しかも他に大きな道はほとんどないという、細くのびた町なのだ。ホール・ストリート（Hall st.）で目につくのはアンティーク・ショップ、この手の店の集中度ではヨーロッパ一との声もあるほど。

ウエストゲイト通りの起点に立つタウンポスト。

ロング・メルフォード・アンティーク・ウェアハウス(Long Melford Antiques Warehouse)は、数ある店のなかでも一番大きいように思われる。4フロアーにわたり、所狭しと家具、食器、アクセサリーが並んでいる。1705年製造のクィーン・アン・スタイルのキャビネット、胡桃材の複雑な渦巻模様の木目を生かした美しい仕上げ。値段をみたら、手が出るかわりに、目が飛び出た。ただし、ごちゃごちゃと小物を収めたガラスのショーケースの中には、時代がかったネックレスなど、手頃な掘り出し物もあるので、見逃せない。

❷Kentwell Hall ケントウェル・ホール
Long Melford CO10 ☎01787-310207
12.00-17.00 無休（3~6月と10月は日曜のみ開館、11~2月休館）
木立の中、堀に囲まれたチューダー様式の大邸宅。シェークスピア劇や中世の暮らしぶりを再現するイベントを催している。

❹Long Melford Antiques Warehouse
ロング・メルフォード
アンティークウェアハウス
Hall St. Long Melford CO10
☎01787-379638
9.30-17.30(日曜13.00-17.00)
無休
迷うほど広い店内は、まさにアンティークの殿堂。アクセサリーやカードなどの小物から、家具まで何でもある。つぶさに見て回ると、思いがけない宝物に出会うかも。

オランダから運び込まれたという、18世紀の開き戸棚。年輪を重ねたように黒々とした艶のある扉には、聖書の物語が彫られている。

❺Chimney's
チムニーズ
Hall St. Long Melford CO10
☎01787-379806
12.00-14.30, 18.00-22.00 無休
英国のグルメガイドにも登場するモダン・イングリッシュレストランは、天梁と白壁が美しい16世紀のコテージ。その昔、カソリックの神父を匿った時の名残の覗穴がある。

渋い輝きを放つ、シルバーのスプーンやトーストラック。

❸Oswold Simpson
オズワルド・シンプソン
Hall St. Long Melford CO10
☎01787-377523
10.00-17.30 無休

❻The Posting House Pottery
ポスティング・ハウス・ポタリー
Hall St. Long Melford CO10
☎01787-311165
10.00-18.00(日曜 14.00-17.00)月曜休
ホール通りから少し奥まった所にある陶器の店。ご主人のロジャーさんが店の奥で制作に打ち込んでいる。ナチュラルな色使いがとても新鮮な上、ティーポット＆カップは、注ぎ口や取っ手の機能性に気を使ったデザイン。

淡い色の陶器は、大地に溶け込む自然の賜物のよう。是非、食卓に欲しい一品。

英国の田舎風手作り陶器

骨董もいいけれど、想い出に残るような一点物のなにかが欲しいと思い、足を踏み入れたのが、ポスティング・ハウス・ポッタリー（The Posting House Pottery）。奥では、ご主人のロジャーさん自らろくろを回す。経営コンサルタントから一転、陶芸の道に目覚めて、ついにはやきものの店を開いたという異色の経歴。

「エンジニアリングが専門だったからかしら、器でも機能性を大切にするのよ」と店番の奥さんが評する作品は、シンプルな無駄のないデザイン。落ち着いた色調は、和食器と合わせても違和感がなさそう。我が家の食卓での、日本とサフォークの田園の出会いを想像し、思わず笑みがこぼれるのである。

❼The Bull Hotel ブル・ホテル
Hall St. Long Melford CO10
☎01787-378494 FAX 01787-880307

ホール通りに、木梁の美しさがひときわ目にとまる建物。1580年以来、インとしての歴史を持つ。館内にはアンティークがさりげなく置かれ、チューダー様式の深淵な雰囲気を感じさせる。シックな色調の寝室も落ち着ける。

ロンドンからの行き方

【鉄道】ロンドンのリバプール・ストリート駅から、マークス・テイ駅で乗り換えて、最寄りのサドバリー駅まで約1時間半。駅からバス、または、タクシーで町まで約20分。

【車】A12を北上、さらに、A1016、A130、A131、A120、A134で町まで。ロンドンから約2時間20分。

アンティークが肩を並べているストリート。

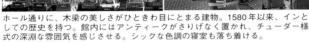

LAVENHAM

ラヴェナム

中世をそのままに伝えるハーフ・チェンバーの家並みに、おとぎ話の世界の住人となる。

歩調をゆるめて歩く村

小一時間もあればひとまわりできるほど、小さな村。ラヴェナムではあえて"何もしない"ことをテーマに、足の向くまま、気の向くまま、ゆっくり散歩を楽しみたい。

村の玄関口として、旅人を迎えてくれるのは、セント・ピーター・アンド・セント・ポールズ・チャーチ（St Peter and St Paul's Church）。村の教会と侮るなかれ、こんな鄙びた場所なのに、と驚くほど大きい。チャーチとしてはイースト・アングリア一高い塔がそびえたつ。その昔、羊毛産業で栄えた村がいかに豊かだったのかが偲ばれる。

教会を過ぎてまもなく、15世紀建造のウール・ホールがその一部である、木造の柱に白壁がシックなスワン・ホテル（The Swan）が見えてくる。

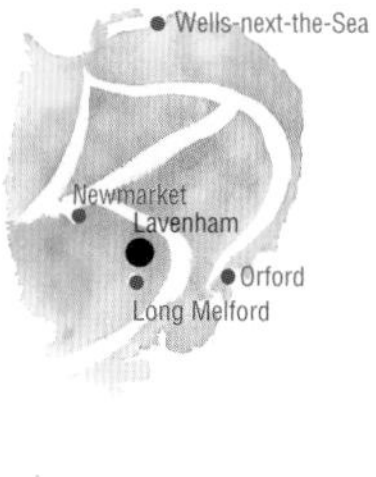

中世へといざなう、古びた軒をたどる

スワン・ホテルの手前角をウォーター通り（Water st.）へと右折。軒の低いハーフ・チェンバーの民家の静かな連なりに、ふと中世に迷い込んだような錯覚を覚える。とある一軒、上に塗られていた白ペンキが風雨にさらされて褪色したのだろう、木の地色と溶け合って柔らかな灰褐色を見せている梁が珍しい。あるいはこの地方に多い、サフォーク・ピンクとも呼ばれる微妙な薄桃色の壁の家。絵本の中の家かとまごう愛らしさ。どの家も、長い年月にたわんだり傾いたりしているところに、人間くさい表情がある。家並みがきれかかるあたりで、シリング通り（Shilling st）へ。シリング・グレンジ（Shilling Grange）は、懐かしの童謡「きらきら星」の作詞者の家だった。

❶**Shilling Grange**
シリング・グレンジ
『きらきら星』の作詞者ジェーン・テイラーが住んでいた家。星ならずとも、日を浴びて、白壁が眩しいほどに輝いている。

トゥインクル・トゥインクル・リトルスター〜♪という、あれ。

この他、村ゆかりの有名人としては、村の学校の生徒だった、画家コンスタブルも。彼の通ったオールド・グラマースクール（The Old Grammar School）は、バーン通り（Bern st.）に今も残る。

数百年の歴史の息づかい

村の中心マーケット・プレイス（Market Place）。目を引くのは、1529年に建てられたというギルドホール（The Guildhall）。資料館兼コミュニティセンターとして、地元の人々の柱であるのは現在もそのまま。

❷**The Guildhall** ギルドホール
一時、羊毛産業が下火になった時には、刑務所として使用されたこともある。現在は郷土資料館として、村の歴史と毛織業についての展示がなされている。

ギルドホールの脇では、リトルホール（The Little Hall）が、鮮やかな辛子色をまとって、人目を引いている。もともとは服地屋の集会場だったが、やがて普通の住宅として使用されるようになった。500歳を越えた家を、丹念に直しつつ大事に使う、かつての住人の、その堅実な精神は、室内に残された家具や小物の趣味のよさからもうかがわれる。

❸**Church of St Peter and St Paul**
セント・ピーター・アンド・セント・ポール教会
町に向かう道の途中から、43mの塔がいち早く目に入る。回廊に落ちたステンドグラスの影が、一層静謐な空気を投げかけている。

くすぐったいティールーム

小道を抜けてハイストリートに戻る。

足の裏に鳥の羽をあしらった、何やらむずがゆい看板と、ティックル・マナー（Tickle Manor）というおかしな店名に、好奇心を〝くすぐられて〟小さなティールームの扉を押した。手作りのスコーンが自慢のマダムは、青い瞳を輝かせながら、名前の由来となったティックル夫妻の奇談をひとくさり。後はこれを、と渡された紙にはびっしりと、17世紀に溯る事件の一部始終が書かれていた。

暮らしを見守る家

マザーグースに登場する「曲がった家」そのままに、ぐにゃりとかしいで、隣の家に寄りかかる家を見つけた。年経った二軒の家は、まるで仲の良い老夫婦のように、しっくりと風景に溶け込んでいる。「いってきまーす」の声に振り向くと、蔦におおわれた軒先から一人の少年。「気をつけてね。しっかり勉強するのよ」お母さんの声がその背中にかぶさる。時代を越えて、場所を越えて、人々の生活のぬくもりには、いつも同じ匂いがある。

❹Tickle Manor Tea Rooms

ティックル・マナー・ティー・ルーム
17 High St. Lavenham CO10
☎01787-248438 10.30-17.30 無休
スコーンやパイなど、女主人の手による手作りメニュー。店内に飾ってある造花などのクラフトは、売り物でもある。

花屋さんの梁の歪みは、ディスプレイの手助けになっている。

❺The Little Hall

リトル・ホール
その昔、服屋だった建物は、建造より約600年。壁のからし色が青い空にひときわ目立つ。中には、骨董品の数々が展示されている。

❻The Swan スワン

High St. Lavenham CO10
☎01787-247477 FAX 01787-248286

幾つかのウールホールが繋がってできたホテルの中は、迷路のよう。どっしりとした木造の扉や梁の見える天井が、中世の面影を今に残している。ラウンジエリアには、ドライフラワーなどがさりげなく置かれて、落ち着いたインテリアでまとめられている。煌々とシャンデリアが灯る大きなダイニングルームでは、繊細な味わいのオードブルメニューを、お気に入りのワインで味わいたい。

ロンドンからの行き方

【鉄道】ロンドンのリバプール・ストリート駅から、マークス・テイで乗り換えて、最寄りのサドバリー駅まで約1時間半。駅からバス、または、タクシーで村まで約20分。

【車】A12を北上、さらにA1016、A130、A131、A120、A134で村まで。ロンドンから約2時間半。

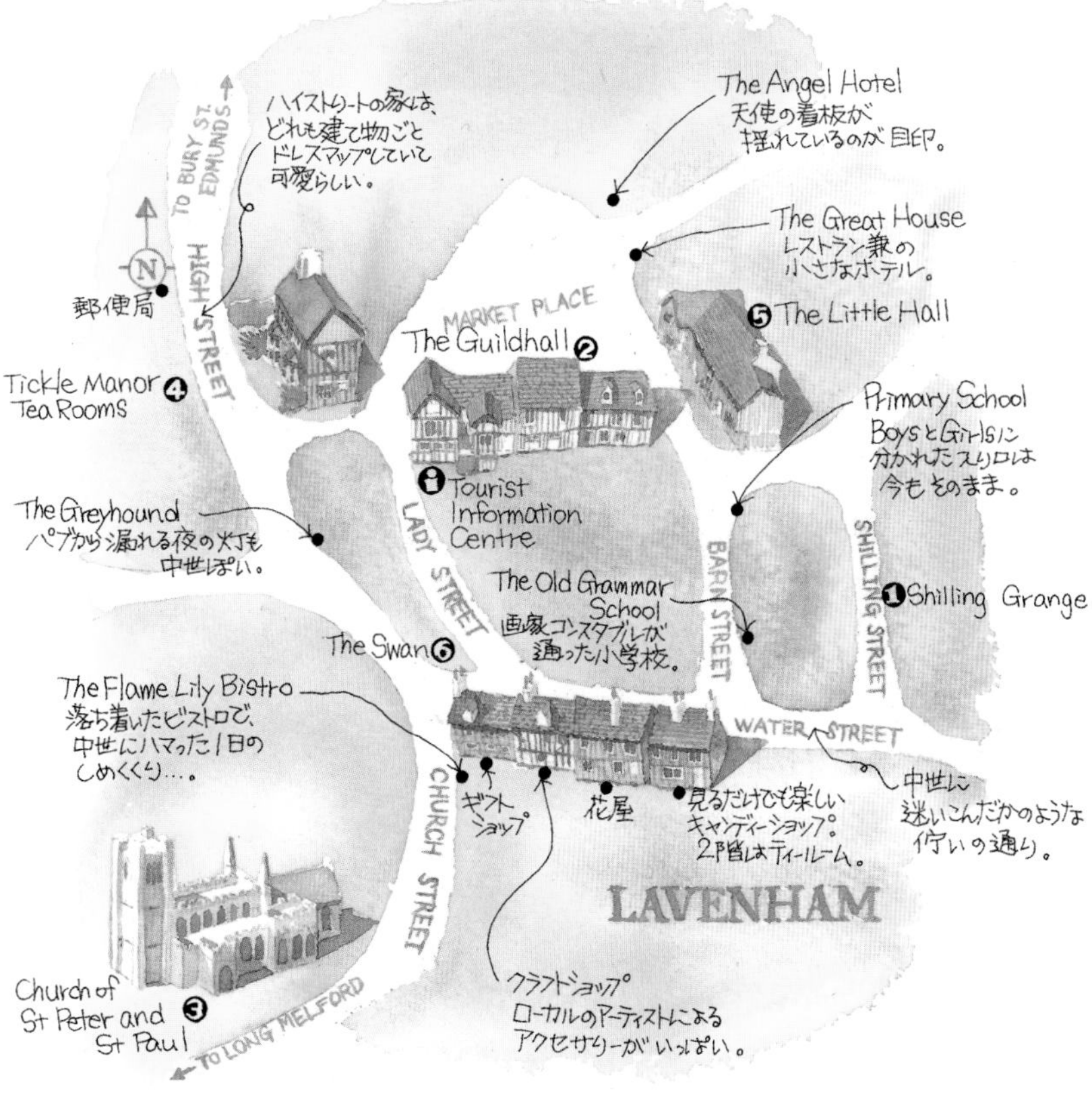

NEWMARKET

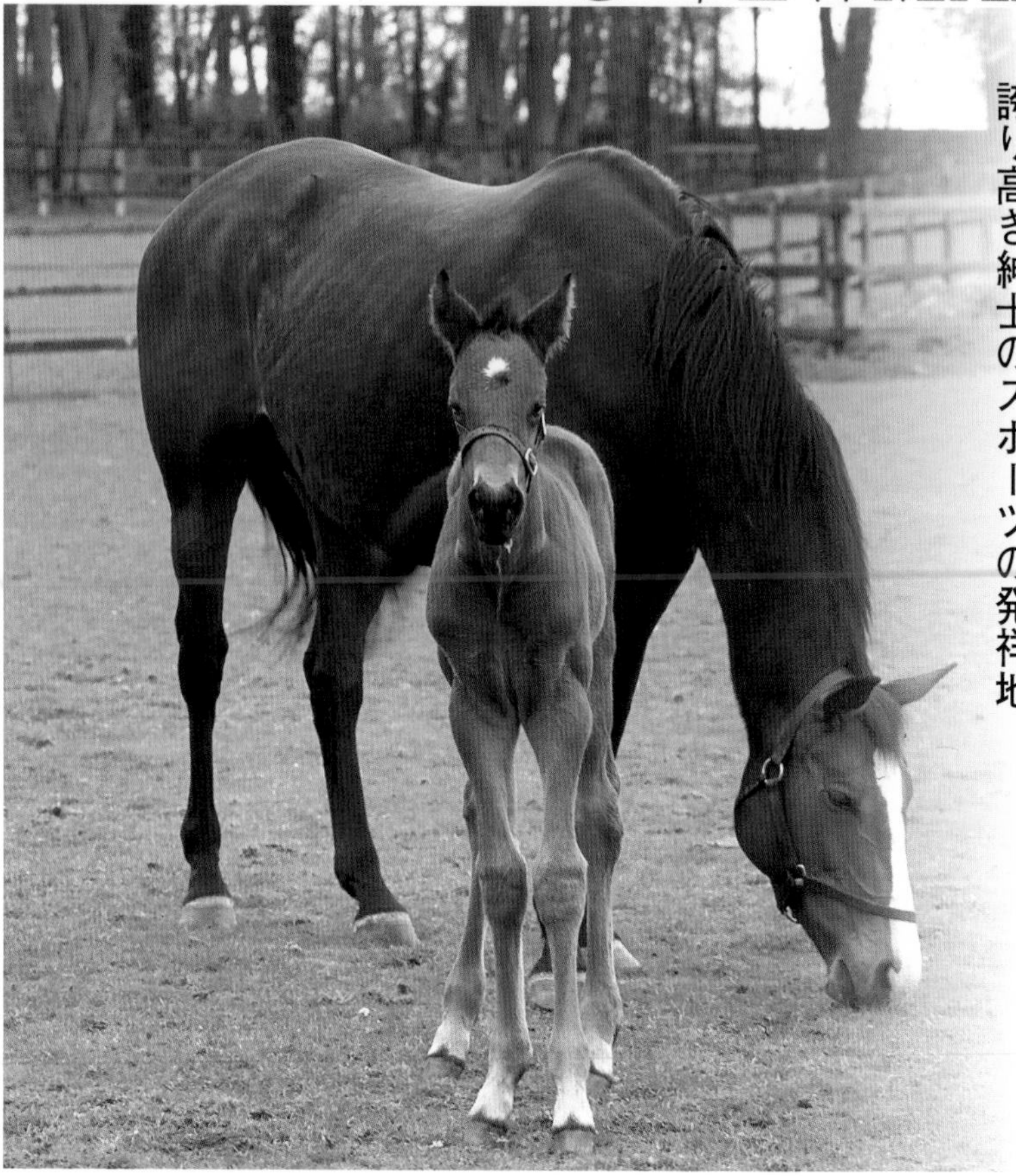

ニューマーケット

英国でレーシングといえば競馬のこと。
誇り高き紳士のスポーツの発祥地。

馬一色に染まる町

普段は静かな町が、競馬の開催される日には一変するのだそうだ。ニューマーケットは競馬の発祥の地であり、ジョッキー・クラブの本部が置かれているのも、この町。

　というわけで、まず最初に、ハイストリートの国立競馬博物館（The National Horse-racing Museum）を訪れる。記録によると競馬の歴史は、ジェームズ1世の肝いりで行われた初レース、1619年に遡る。歴代国王が馬を愛し、現女王も馬主で、ご自身もたまに競馬場に足を運ばれるというのも、そのあたりに縁があるのかも。名だたる駿馬の遺物や、派手やかなジョッキーのユニフォームのコレクションを見ているだけで、競馬にかける人々の並々ならぬ情熱

❸Rutland Arms Hotel ラトランド・アームズ・ホテル
High St. Newmarket CB8
☎01638-664251　FAX 01638-666298
ハイストリートに見える大きな建物は、古くからの馬車亭として栄えてきた。町でレースが開かれる日の予約は満員となる。ロイヤルファミリーも宿泊するという由緒あるホテル。

❶The National Stud
ナショナル・スタッド
Newmarket CB8 ☎01638-663464
11.15-14.30　無休
(9月~2月休場)見学には予約が必要
レースに出場する名馬を見学することができるサラブレッドの飼育場。春には、生まれたばかりの子馬に出会える。

❷The National Horseracing Museum
ナショナル・ホースレーシングミュージアム
99 High St. Newmarket CB8
☎01638-667333
10.00-17.00　無休 (11月~2月休場)
競馬の歴史を振り返る展示。競馬ファンは必見。

ロンドンからの行き方

【鉄道】ロンドンのキングス・クロス駅、またはリバプール・ストリート駅から、ケンブリッジ駅で乗り換えて、ニューマーケット駅まで約1時間20分。

【車】M11の9番インターへ、さらに、A11、A1304で町まで。ロンドンから約2時間。

が伝わってくる。実際、町はすべてが馬一色といってもいい。裏通りを歩いていると、乗馬姿に行き合うこともしばしば。また衣料品店のショーウィンドゥには、他ではあまり見かけない妙な形の帽子がずらり。調教師のお決まりスタイルに欠かせないのだという。

町の郊外、芝の緑に白い柵がくっきりと映える美しいレースコースに隣接して、ナショナル・スタッド（The National Stud）、競争馬の厩舎・繁殖場がある。見学用バスに揺られること数分、広大な牧場の奥では、数々の賞をさらった優駿が、艶やかな毛並みをまとった典雅な肢体を風に遊ばせている。春ならば、生まれたばかりの仔馬たちが母馬に寄り添っている姿も見られる。つぶらな瞳を見開いて、柔らかな鼻づらをそっと押しつけてくるその愛らしさに、柵の前を立ち去りがたい。

ナショナル・スタッドの厩舎の屋根に見る、風見鳥ならぬ、風見馬。

ORFORD

オーフォード

凛々しいノルマンの城に見守られて佇む、遠い海の夢にまどろむ村。

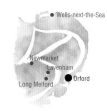

静けさのなかに安らぐ村

中世には羊毛の積出し港として大いに賑わった村も、海が干上がり、河と湿地帯が拡がるにつれ、ひっそりとした静けさに包まれて眠たげな集落へと変わった。オーフォードの昔日の栄光を語るのは、1167年にヘンリー2世の命で建設されたオーフォード城（Orford Castle）。古文書により、確かな建造年がわかる城としては最古のもの。厳しくも頼もしい父親という趣きで、村を見下ろしている。郵便局や雑貨屋が寄り添うように固まったマーケット・ヒル（Market Hill）から、フロント通り（Front st.）を左に、大小さまざまな籠が店先いっぱいに積まれているのが目印の、オーフォード・クラフツ（Orford Crafts）がある。コーチハウス、つまり馬車用車庫を改造した

❷Orford Crafts
オーフォード・クラフツ
Front St. Orford IP12
☎01394-450678
10.00-17.30 無休
手編の篭が店先に並ぶクラフトショップの中は、ジャムや紅茶、ローカルの雑貨、ガイドブックがぎっしり。

窓辺を飾る海の香が漂うディスプレイ。

❸The Butley Oysterage
バトレー・オイスタレッジ
Orford IP12 ☎01394-450103
12.00-14.15, 19.00(土曜18.00)-21.00 無休
黒板にびっしり書かれたシーフードのメニュー。カキ料理が自慢。

❶Orford Castle
オーフォード城
☎01394-720320
10.00-18.00 無休(11月～2月休)
ヘンリーII世が建てた12世紀の城。

建造の様子と経費の記録が残る城としては、英国史上最も古い。壁にくりぬかれた窓から、城内に日が差し込んでくる。上部へは、螺旋階段を上る。

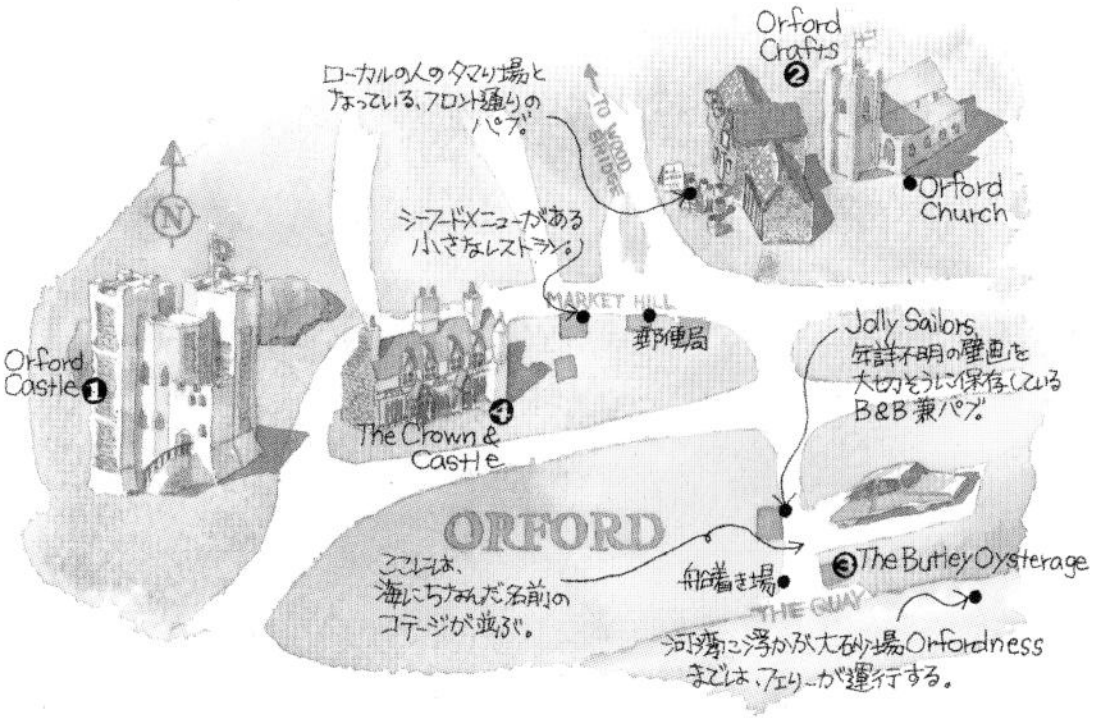

❹The Crown & Castle クラウン&カースル
Orford IP12 ☎01394-450205
FAX 01394-450176

オーフォード城を横目に見るホテル。淡い色を基調にした寝室に安堵感を覚える。レストランのメニューはボリュームたっぷり。

店内、民芸品や土産物の隙間から、馬を繋いだ鉄輪が壁に残るのが見える。階上は、近隣の海底から引き上げた古い船具などの遺物と収集作業の様子を展示したミニ資料館である。店主のベーコン氏はオーフォードの風土に関する著作もある、郷土史家なのだ。

教会の脇を抜け、河に突き出た船着き場へ。オイスター・コテージなど海にまつわる名前の民家も少なくない。昔は漁師の住まいだったのだろう。深い青色のカウンターに、やっぱりお魚を頼みたい気分の定食屋風レストラン（The Butley Oysterage）もある。河沿いの土手にそった小道を歩く。ペンキの塗り直しを控えて小舟がぽつんと人待ち顔。このあたり、珍しいシギが見られることでも知られている。遠くに見えるあの群れかも、と目を凝らせば、霞に煙った城の神秘的な姿に、不意を打たれたような思いがした。

ロンドンからの行き方

【鉄道】ロンドンのリバプール・ストリート駅から、イプスウィッチ駅で乗り換えて、最寄りのウッドブリッジ駅まで約1時間半。駅からバス、または、タクシーで村まで約30分。

【車】A11、A12、B1084で村まで。ロンドンから約2時間40分。

散歩の達人

英国人はよく歩く。「国民的スポーツの最たるは、散歩する（ウォーキング）こと」という、冗談とも本気ともつかない言葉があるほど。どこのカントリーサイドでも、歩行者用の小道”フットパス“のサインを見つけるのは簡単、牛や羊の視線を浴びつつ牧草地を抜ける、ちょっとした山歩きが楽しめる。ただし何か特別な見ものを期待してはダメ。当り前の山野の風景の中をただひたすら延々と歩く、それが英国式の王道なのだ。というわけで、都市の住宅地になると、”わざわざ手をかけて“自然の野山のような景観に保っている大公園もある。都会暮らしの人々はこのような公園で、田園の森を散歩したつもり、の気分を味わうそうな。

”歩き“の際の正装として、一番人気のブランドはバーバー(Barbour)のコート。英国名物の悪天候にも刺だらけの藪にも強いオイルびきの生地加工が特徴。このため新品でもしわがあり、いかにも使い込んだような味をみせるところも、古いもの好きの英国人の心をくすぐる。足もとは、くすんだ緑のウェリントン・ブーツ（と言えば聞こえはいいけど要はゴム長靴）で決まり。犬をお供にぬかるみでポーズ、正統英国式散歩者の図のハイ出来上がり？

南イングランド

SOUTH ENGLAND

ライ	RYE
ドーチェスター	DORCHESTER
ライム・リージス	LYME REGIS
アランデル	ARUNDEL

RYE

ライ

石畳の舗道に漂う、いにしえの港町の記憶。
海の想い出を、ひろい集めて歩く午後。

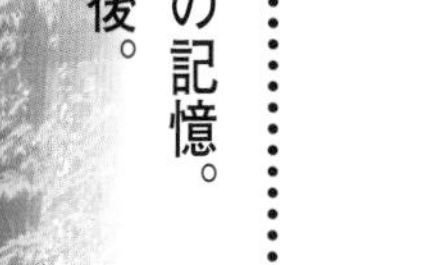

大いなる時がつくりかえた大地の風景

ライは海賊の町だったという。荒くれ水兵や海賊が集まる、いかがわしくもあやしい港町…。けれど、町の周囲をぐるりとめぐる水路に、そこはかとない磯の香りこそ感じるものの、海は数マイルの彼方である。失われた港のロマンはどこに？　海猫の鳴き声に誘われて歩き出す。

駅を背に、チンクポート通り（Cinque Ports st.）を左折、やがてつきあたりにランドゲート（The Landgate）が見えてくる。エドワード3世の手による14世紀の城門で、物見の塔がいかめしい。かつて町は満潮時になると三方を海に囲まれ、この門が唯一の出入口であった。海がはるかに後退した現在では想像しがたいけれど、ライはまるでひとつの島のようにも見えたという。そして海峡をはさんだフランスに対し、戦略的に重要な位置を占めていたのだ。旧き港町ライの起源はそこにはじまる。ゲートをくぐりハイストリートへと続く坂道の展望台、薄緑に霞んだ遠浅の大地の向こう、たしかに、絵筆でさっとはいたような海が臨める。時の流れは緩やかにして強大だ。数百年のうちに土地の形さえ一変してしまう。

❶Ypres Tower イプレス・タワー
町の坂を上り切った所に、水路を臨むようにして立つタワー。内部はライ・ミュージアム。

ライの町を飾るのは荒々しい男性的なイコン。

高台の城塞が語る中世

赤煉瓦が美しいオールド・グラマースクールを右手にみてライオン通り（Lion st.）を左折、正面にセント・メアリー教会（Church of St Mary）の優美な姿がのぞく。人々の自慢は、今なお時を刻み続けている16世紀製造の大時計で、堂内のアーチを見上げると18フィート（約5.4ｍ）という長い振り子の先端が、のんびりと、しかし、時の番人としての確かさをもって揺れている。

教会を後にし、左手の細い小道を抜け中世の城塞イプレス・タワー（Ypres Tower）へ。途中、教会の敷地にそって、丸い奇妙な建物〝実は18世紀のポンプ場〟があった。一番の高台であるこのあたりに水を汲み上げるための労作とか。城塞が建てられたのも、もちろんその高さゆえ。いかにも堅牢そうで飾り気のない城は、無言であたりを睥睨《へいげい》している。牢獄として使用された時期もあったが、今では町の歴史資料館、平和利用である。とはいえ、展示物は海賊の刀剣やら囚人の足かせを、眺めのいいテラスには大砲、と物騒なものも多いけれど。果てしなき過去に想いを馳せて、銃眼窓の細い隙間から見る空の、その青さが心に残る。

❷The Land Gate ランド・ゲイト
町防護の為、エドワード３世の命により1329年に建設された門は、意外にも小さい。

鉄道の駅にも品格が感じられる。

メレンゲで作られた雪だるま。季節に関係なく笑顔を見せている。

❸Ye Olde Tuck Shoppe
イ・オールド・タック・ショップ
9 Market St. Rye TN31
☎01797-222230 8.30-17.30 無休
町で一番古いベーカリー。形の揃っていないパンが手作りらしくておいしそう。甘党にはたまらないチョコレートやファッジもたくさん。

❹Serendipity
セレンデピティ
87 High St. Rye TN31
☎01797-224295
9.00(日曜 10.00)-17.30 無休
さすがに生活に溶け込んでいるだけあって、ポプリやキャンドル、アロマセラピー用品が品数豊富に見つかる。選ぶだけでも楽しい。

英国の家では、キャンドルがインテリアにかかせない。

ウィスキーを入れるヒップ・フラスコは、英国紳士の携帯品として定番。

❻Ironmongers Extraordinary
アイロンモンガーズ・エクストラオーディナリー
1 High St. Rye TN31
☎01797-222110 9.00-17.15 無休
キッチンウェアの店。さまざまな調理道具がバスケットに入っている。

グリーンの車体が町並みに合うローカルバス。

❺The Corner House コーナー・ハウス
27 High St. Rye TN31 ☎01797-223676
9.00-17.00(日曜 14.00-17.00) 無休
店内に入ると、皮の強い匂いが鼻をくすぐる。トラディショナルな色とデザインがいかにも英国人好みのレザーショップ。

時の名残りを留める石畳の坂

教会墓地を回り込むような形で、マーメイド通り（Mermaid st.）に。二百年、三百年を経た家々が軒を連ねる石畳の急坂は、緩やかにうねりハーバーまで下る。地元の人が「イングランドで一番絵になる坂だよ」と胸をはる道だ。手前の角に建つのはラム・ハウス（Lamb House）。国王が訪れたこともあり町一番の名家の所有だったこの家は、小説家ヘンリー・ジェームズの晩年の住まいでもあった。

坂の中ほど、黒い木の梁と白壁が鮮やかなコントラストをみせるハーフ・チェンバーは昔の病院（Old Hospital）。時の流れに歪んだ、そのいびつさにも味がある。

けれど、なんといっても目をひくのはマーメイド・イン（Mermaid Inn）だ。びっしりと蔦に覆われた戸口、ぶ厚い木の

❼Swan Cottage スワン・コテージ

41 The Mint, Rye TN31
☎01797-222423 10.30-16.30 火曜休
ミント通りにある小さなティールーム。

セント・メアリー教会へとたどり着く急な石畳。

全てが絵になる町の建物。公衆トイレまでがカメラの被写体となる。

❽The Mermaid Inn マーメイド・イン

Mermaid St. Rye TN31 ☎01797-223065
12.00-14.30, 18.00-21.30 無休
かつて海賊の密会場所だったという、町のシンボル的なインにあるパブ&レストラン。梁の黒い艶に歴史を感じ、中世独特の重厚な雰囲気に圧倒される。

海賊の大きな声が今にも聞こえてきそうなパブ。長い剣が鋭い光を放つ。

❾The Copper Kettle コッパー・ケトル

The Mint, Rye TN31 ☎01797-222012
12.30-14.00 18.00-21.30 無休
600年は経っているというコテージのレストラン。肉・魚料理ともにメニューが豊富。インテリアの飾りにしているワインやスピリッツのボトルがライトを浴びてアンニュイな雰囲気を醸し出す。片言の日本語で話しかけてくるフレンドリーなサービスも満点。

ガーリック風味に軽くグリルされたカキは、レモンを絞ってアツアツを。あっさり味のうずらのグリルもお薦め。

扉、低い天井はぎしぎしと鳴る。1420年創業、この地方で最も古いパブ兼宿屋の一つである。その昔は密輸を請け負う悪名高い船乗り達の溜り場だった。黒ずんだ柱には、囁き声でかわされた秘密の会話も染みこんでいるのだろうか。「私自身は残念ながらお目にかかったことはないのですが、上の階には幽霊がときおり顔をみせる、とおっしゃる方もいらっしゃいます」澄まし顔のボーイが、目だけはいたずらっぽく、さらりとのたまう。博物館モノの家具をしつらえた室内はなるほど荘重。でも、こじんまりとしたパブ・スペースやラウンジでは暖炉の薪がぱちぱちと柔らかな音をたて、ミステリアスな伝説も親密で暖かな雰囲気の香辛料に思われてくる。

番地のタイルも、各戸で凝ったデザインが目立っている。

⑩Jeake's House ジークス・ハウス

Mermaid St. Rye TN31
☎01797-222828 FAX 01797-222623

マーメイド通りの中程に立つゲストハウスは、3つのコテージからなる。梁が張り出す屋根裏の寝室は、カントリースタイルのソフトな色調で、一度は自分の部屋にしたいようなエレガントな空間。かつて、教会のチャペルでもあったというダイニングルームは、二階まで天井が吹き抜けて、壮麗な雰囲気に包まれている。館内にいる4匹の猫もゲストに挨拶をしに軽やかな足取りでやってくる。

⑪The George Hotel ジョージ・ホテル

High St. Rye TN31
☎01797-222114 FAX 01797-224065

白い壁の建物が目印。シンプルな外観とは対照的に、内部はイギリスの伝統的な雰囲気を保つ。ラウンジからレストランに続くエリアは素朴な木のインテリアで、16世紀の馬車亭であった面影が残る。奥のラウンジには暖炉が灯り、バーでは夜ふけまでゲストが語らいを楽しんでいる。レストランでは、日曜日に、英国伝統のボリュームたっぷりのサンデーランチを用意。

海を想う水路の眺め

怖いもの知らずの海賊の気分にふれて、水の風景が見たくなった。ライの桟橋に停まるのは帆船から色とりどりのヨットへと変わったけれど、煉瓦の土台に黒塗りの木造の壁がおもしろい倉庫群を背景に、マストが林立する水路の眺めは、のびやかな明るさが印象的だ。この古い倉庫の幾つかは店舗に改装されていて、屋根裏のがらくたを集めてきましたという風情の古道具屋が、何軒か同居している。

ディナーでは、珍しい英国ワインをお試しあれ。南イングランドは百を超えるワイナリーのあることでも有名。ほのかな甘さの白はドーバー海峡産の魚料理によく映える。心地好いワインのほろ酔いに、西洋の歴史に詳しい知的な友人の顔が浮かぶ。古い港の残り香をまとう海のない港町、あの人はライを知っているだろうか。

ロンドンからの行き方

【鉄道】ロンドンのチャリング・クロス駅から、アッシュフォード・インターナショナル駅で乗り換えて、ライ駅まで約2時間。

【車】M25で5番インターへ、さらにA21、A268で町まで。ロンドンから約2時間。

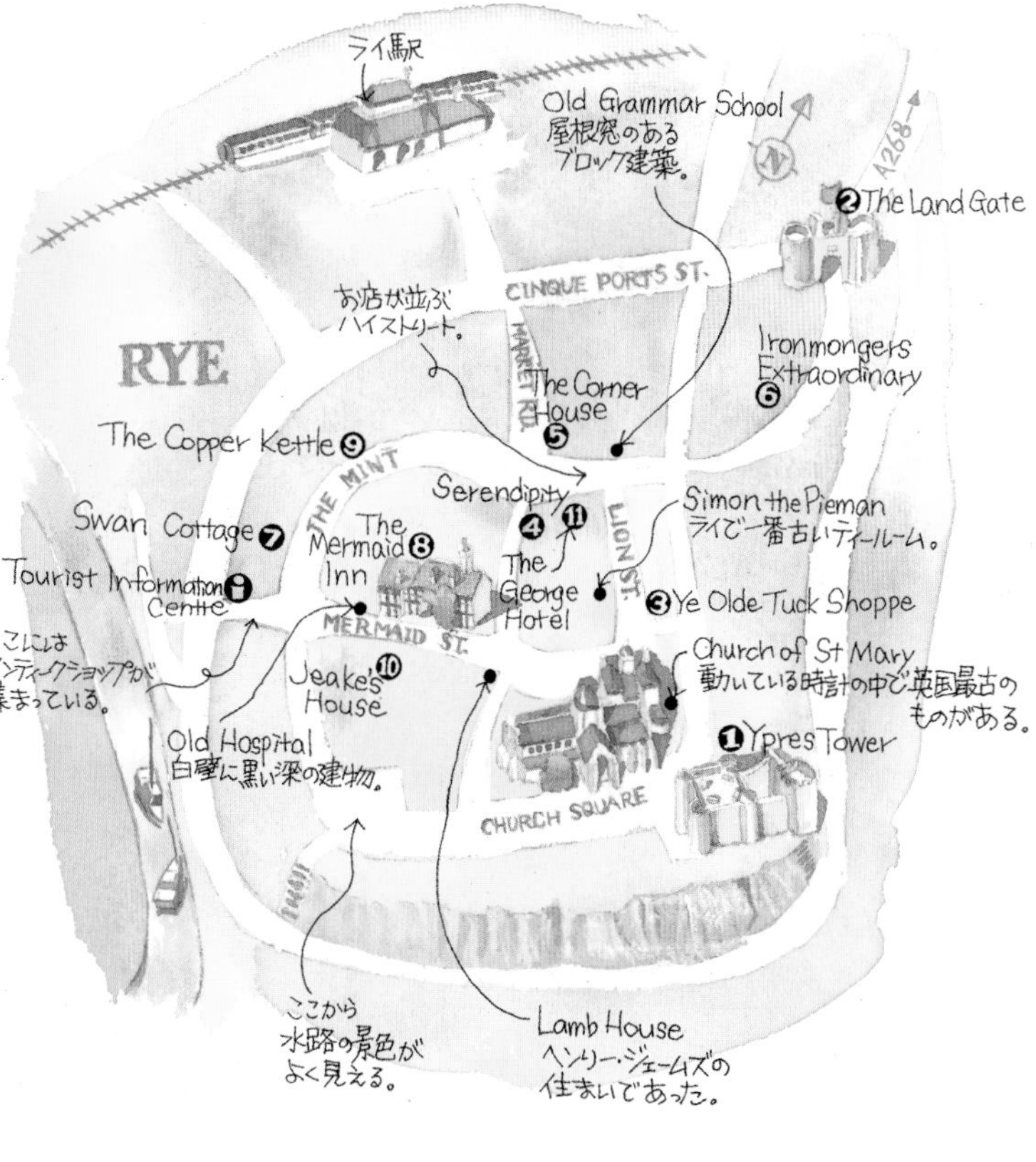

DORCHESTER

ドーチェスター

トマス・ハーディを生み育んだ緑園の地、
牧歌的魅力に満ち溢れたドーセットを紀行する。

緑なすハーディの故郷

ドーセットは、別名ハーディズ・カントリーとも呼ばれる。この地の出身である文豪トマス・ハーディにちなんでのこと。苛酷な運命に抗《あらが》う人間を描いた、悲劇的陰影の強いその作品から、厳しい自然を想像していたら、牧歌的、という言葉がぴったりの、晴れやかな田園の景観にうれしい驚き。

刈り込みあとが清々しい縞模様をみせる、広い耕作地。見晴らしのよい丘のハイウェイでは、メタルの隅々まで磨きあげた優美なクラシックカーとすれ違う。

ドーチェスターはドーセットの中心地で、古代ローマ人の遺跡も残る古都。ハーディの生家は3㎞ほど郊外にあり、ドーチェスターはカスターブリッジの名で、彼の小説の舞台にしばしば登場する。

街路に残る歴史の足跡

ハイ・ウエスト通り（High West st.）を西へ登る。教会に並んで、郷土資料博物館であるところのカウンティ・ミュージアム（The Dorset County Museum）がある。光がたっぷり入る吹き抜けのホールの開放感が気持ちよい。自然科学から歴史・文化まで網羅した展示の主役はやはり、ハーディの書斎を再現した一角で、無造作に本が投げ出された棚や床にころがる紙くずが、いかにも作家の仕事部屋という雰囲気を醸し出す。

ミュージアムの向かい、重々しげなハーフ・チェンバー（Judge Jeffrey's Restaurant）は、17世紀、その容赦ない非情な判決で恐れられた裁判官、ジャッジ・ジェフリーの住まいだった。現在ではレストランに改装されたが、踊り場には彼の肖像が。微笑の下の冷酷？ 意外に若く優男の顔つきは、"血まみれジェフリー"のあだ名にそぐわないところがむしろ、歴史のある一面を暗示するようにも。

ハーディの銅像が建つラウンドアバウトからザ・グローブ（The Grove）を右へ、最初の右折路ノーザンヘイ（Northernhay）の突き当たりに、こんもりとした草葺きの民家（Hangmans Cottage）が見える。石囲いに植え込みをあしらった小さな前庭がかわいい。小犬を連れた老人が通りかかり、昔はこの脇の川で洗濯する姿が見られたものさと、教えてくれる。町の中心から通りを一本はずれただけなのに、緑の草原が広がり小川の流れる、嘘のように穏やかな光景が目の前に。

ハイ・ウエスト通りのタウンホールと教会。

昔の生活道具を展示するコーナーのヴィクトリアンギャラリー。

❶The Dorset County Museum
ドーセット・カウンティ・ミュージアム
High West St. Dorchester DT1
☎01305-262735
10.00-17.00 日曜休
トーマス・ハーディに関する資料を展示。書斎を復元して見せている。

黄ばんだページに見つけるロマン

郷土の誇りというわけで、ハーディの名を冠したさまざまなものに行き合う。たとえば地元のビール工場（Eldrige Pope Brewery）にもハーディの横顔がうやうやしく刷り込まれたラベルが並ぶ。

文学的な気分に誘われて、古本屋をのぞいてみる。カラーの豊富なガーデニングや料理本など手頃なセカンドハンドブックにまじり、特別注文らしい凝った装丁の革装本が目をひく。当然と言う面持ちで、ハーディ書簡集の初版本も揃えてあった。学生時代以来、読んでいないその作品、もう一度ひもとこうかな。

半木造建築の、いかにも古めかしいレストラン。ジャッジ・ジェフリーの部屋が上階に公開されている。

❷Judge Jeffrey's Restaurant
ジャッジ・ジェフリーズ・レストラン
6 High West St. Dorchester DT1 ☎01305-264369
9.30-17.00, 19.00-21.30
(夜は水曜～土曜のみ) 無休

❹Hardy's Cottage ハーディズ・コテージ
Higher Bockhampton, Nr. Dorchester DT2
☎01305-262366 11.00-17.00(金曜、土曜休、11月~3月まで休館)

トーマス．ハーディが生まれた藁葺きの小さなコテージは、ドーチェスターから車で８分。近くに民家も少ない、ドーセットの緑豊かな場所にある。少年の頃のハーディは、二階にある自分の部屋の窓辺に座っては、空想に耽っていたという。部屋の一室には、世界各国の言葉に翻訳されたハーディの作品が集められていて、日本語のタイトルも本棚に並んでいる。

❸The Oak Room Tearoom オーク・ルーム・ティールーム
5 Antelope Walk, Dorchester DT1 ☎013057-267713
9.30-16.30 日曜休

ヴィクトリア朝風のレトロ感覚に溢れるティールーム。手作りスコーンに、デボンシャークリームとストロベリージャムをたっぷりつけて、紅茶と味わいたい。オーク材のパネル張りの部屋は、ジャッジ・ジェフリーの裁判室だった。

❺Peach's Craft & Gift Shop
ピーチズ・クラフト&ギフトショップ
5 Antelope Walk, Dorchester DT1
☎013057-267713
9.30-17.00 日曜休

英国では、母から娘へと愛用されるレース編み。テーブルマットから、ポプリ入れ、ティシュケースと、使い用途がいろいろある。

❻The Casterbridge Hotel
カスターブリッジ・ホテル
49 High East St. Dorchester DT1
☎01305-264043 FAX 01305-260884

ハイ・イースト通りに面しながらも、建物の中は静かで落ち着いたB&B。明るい部屋に花柄模様のカーテンが可愛い。ダイニングルームは、太陽の光が天井から降りてくるさわやかな空間。朝食の味も一段と美味しく感じられる。

文豪の芳しき生家

森に囲まれた、村とも呼べないわずか数軒の集落にハーディが生まれた家（Hardy's Cottage）はある。ラヴェンダーや撫子《なでしこ》、パンジーとあれこれと植わった庭の草木の向こうに、白い壁と苔むした藁葺きの屋根がのぞく。大工だった祖父の建てたこのコテージは、ハーディの質素だけれど幸福な子供時代を見守った家。弟と分けあっていた階上の小部屋の窓際で、少年は詩を書き、本を読んだのだろう。建築の徒弟修行に出てからもしばしば彼は生家に帰り、「緑樹の陰で」、「遥か群衆を離れて」など初期の作品はここで執筆したという。開け放たれた窓から、花の香りに誘われて、幾羽もの蝶が舞っている外を眺めた。芝生で麦藁帽子の女性が絵筆を走らせるその情景を、逆に、額縁の中に閉じ込めたい。

ロンドンからの行き方

【鉄道】ロンドンのウォータールー駅から、ドーチェスター・サウス駅まで3時間10分。

【車】M3の14番インターへ、さらにM27の1番インターへ、そしてA31、A35で町まで。ロンドンから約2時間40分。

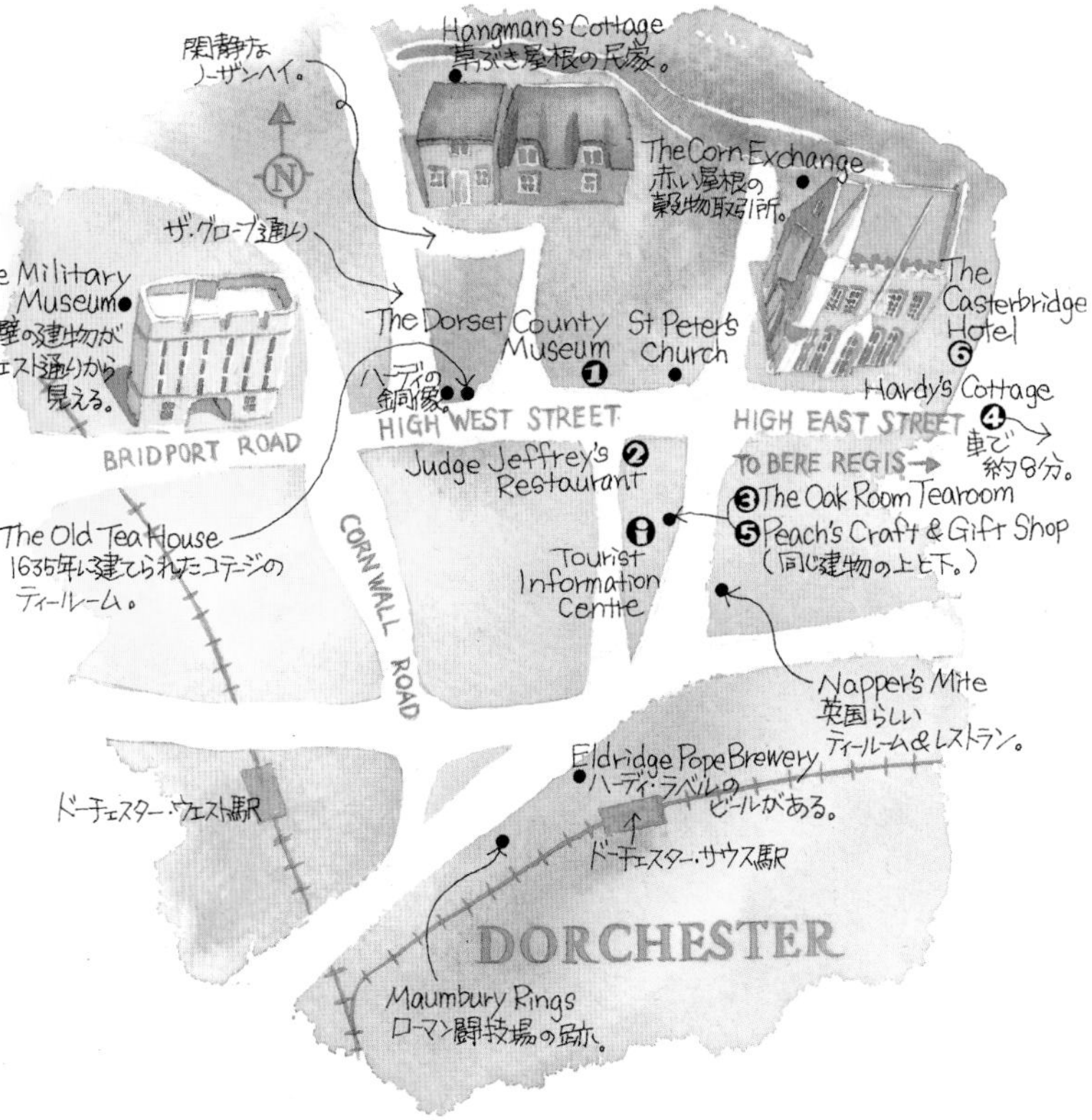
石壁の建物がハイ・ウェスト通りから見える。

LYME REGIS

ライム・リージス

アンモナイトに太古のロマンを秘めた小さな海辺の町。
紳士淑女の安らぎの時間を見守ってきた海は、優しく打ち寄せる。

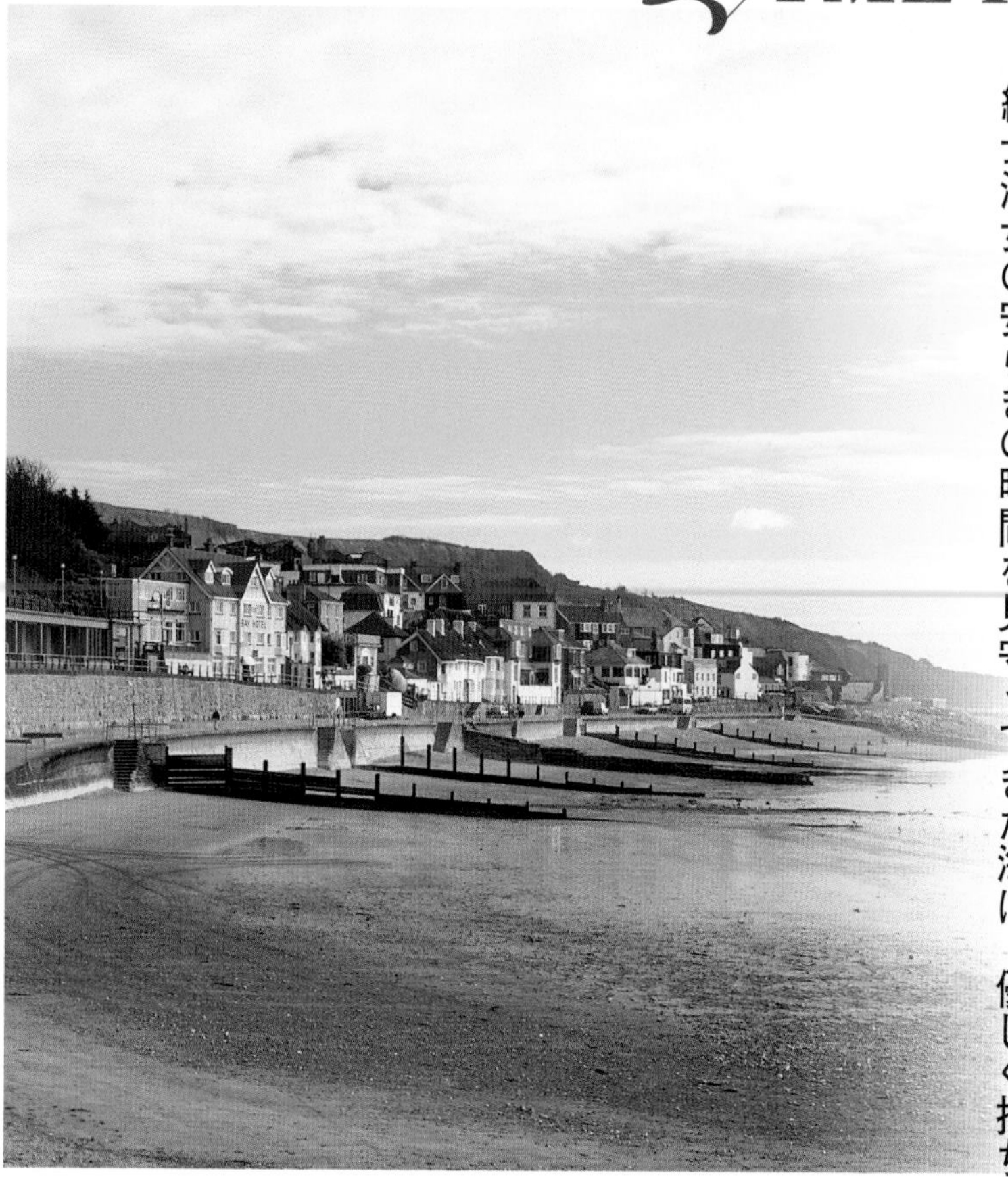

優雅なる海辺のリゾートの面影

どこまでも続くかと思われた丘陵がふいに途切れて、眼下に海がのぞく。淡いパステルカラーの目立つ、まるで書き割りのような町並が海岸沿いに見えてくる。

ライム・リージス、その歴史はサクソンの時代にまで遡る。塩をとる修行僧の集落に始まり、18世紀後半には、海風にあたる健康療法がしきりに喧伝された結果、静かな海辺のリゾート地として〝再発見〟。貴族や文人も数多く訪れ、日本での知名度は今ひとつながら、英国ではシェイクスピアにもつぐ国民的作家ジェーン・オースティンもそのひとり。また、映画にもなった「フランス軍中尉の女」の舞台もこの町。どこか繊細なたたずまいには、なるほどそんな歴史の営為が感じられる。

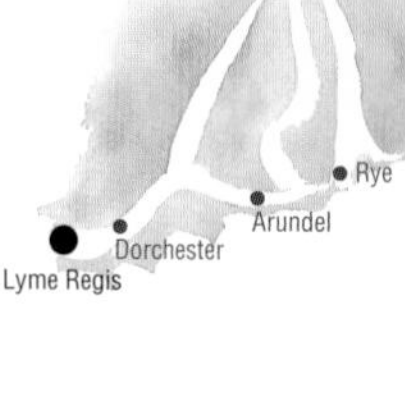

午後の散歩は、潮騒を聴きながら

ギルドホール(Guildhall)の脇から海岸沿いの遊歩道マリーン・パレード(Marine Parade)へとでて、寄せ打つ波音に耳を遊ばせながらそぞろ歩く。行き交う人々はもはや制服姿も凛々しい海軍士官やボンネットの淑女達ではないけれど、俗化した海浜観光地にありがちな喧騒とは無縁の、穏やかな賑わいに心が融けてゆく。ホテルや小さなカフェが切れるあたり、石段を上り丘の斜面の小公園を抜けるとアレキサンドラ・ホテル(Alexandra Hotel)のガーデン・テラスが目に留まる。手入れの行き届いた芝生に点在する白いガーデン・チェアでひとやすみ。ティーカップの向こうには、青くきらめく海が、そこだけ切り取られたようにくっきりと浮かんでいた。

小粒の化石や貴石は、贈り物に最適。

❶The Old Forge Fossil Company
オールド・フォージ・フォッシル・カンパニー
15 Broad St. Lyme Regis DT7
☎01297-445977
9.00-21.00(日曜10.00-17.00) 無休
南米やアフリカ産の化石、貴石を使った小物が所狭しと並ぶ。

花々に彩られたスティル・レーン(Stile Lane)から、町唯一の目抜き通りブロード通り(Broad St.)へ。この地方のアーティストを中心に、ユニークな作品を紹介販売するカフェ&ギャラリー、ブルーリアス(Blue Lias)は坂道の一番下にある。自らも画家であるオーナーのジュリーは、北部の生まれで都会暮らしもしたけれど、ここがすっかり気に入って、ギャラリーをオープンしたのだと語る。「この辺りには芸術家が集まってくるのよ」豊かな田園に囲まれて、海浜の小さな宝石のように佇むこの町には、なにか人々の創造性を刺激する魅力があるらしい。

一億年の夢を紡ぐアンモナイト

もうひとつ、ライム・リージスを語るのに忘れてはいけないのが、化石。1811年のこと、12才の少女メアリー・アニングが魚竜の骨の化石を発見し、町は一躍有名になった。海岸沿いの崖下を掘ると今でもたくさんの化石が見つかるという。化石博物館ダイノソウルランド(Dinosaurland)主催の発掘ツアーに参加すれば、大人のこぶし大もあるアンモナイトを見つけることさえ夢ではない……? もっと手軽な方法としては化石ショップがある。小魚の骨の形がくっきりと残る石板など、とぼけた味わいのものが5ポンド程度。かつての理系少年を思わず笑顔にさせる贈り物になりそう。

❷Dinosaurland ダイノソウルランド
Coombe St. Lyme Regis DT7
☎01297-443541
10.00-17.00 無休
恐竜時代に遡る、生物の進化を展示した化石博物館。魚竜(Ichthyosaur)の化石が町で発見されたエピソードを紹介。発掘ツアーも定期的に主催する。

❸Days Gone Bye
デイズ・ゴーン・バイ
8 Broad St. Lyme Regis DT7
☎01297-444996
9.00-21.00 無休
素朴さが英国の雑貨の魅力。ピエロをモチーフにした木箱やテディベアなど、愛着がわく品ばかり。

❹Blue Lias ブルー・リアス
47 Coombe St. Lyme Regis DT7
☎01297-444919
10.00-21.00 無休
小さな店内はユニークなアイデアとデザインの宝庫。奥はアート感覚が溢れる小さなカフェになっている。

❺The Mad Hatter's
マッド・ハッターズ
34 Broad St. Lyme Regis DT7
☎01297-443247 12.00-14.00, 18.00-21.30 無休
かつて3つのコテージであった建物は400年の歴史を持つ。レストランとして父子二代にわたる経営。

モダンに味付けされた牛フィレステーキ。

❻The Bell Cliff Restaurant
ベル・クリフ・レストラン
5-6 Broad St. Lyme Regis DT7
☎01297-442459
9.00-18.00 無休
映画『フランス軍中尉の女』の撮影では、化石店として使用された。アップルケーキなどのホームメードケーキが、素朴な味わい。

天井の梁と暖炉に、田舎の温もりを感じる。

古えの防波堤から仰ぐ朝日

普段は朝寝坊でも、旅先は別。カモメの声に目覚めたら、朝食前の散歩に出掛けよう。海岸の西側、古い港の区域、海に向かって緩やかに弧を描いているのが、コッブ（The Cobb）と呼ばれる防波堤、その上を歩いてみる。結構な高さがあり、ここだけはいつも風が強い。先端では一組のカップルが並んで海を見ている。映画ではメリル・ストリープ演じるヒロインが、一種絶望的な静けさで立ちすくんでいた場所。潮の引いた砂浜で裸足になった。水は冷たいけれど、きめの細かいしっとりと重い砂の感触が心地好い。ラブラドール犬が元気よく駆け寄ってくる。飼い主と思しき少年とおはようと言い交わし、空を仰ぐ。海に映えた朝日が一日の輝きを約束していた。

❼The Dower House Hotel
ダワー・ハウス・ホテル
Rousdon, Nr. Lyme Regis DT7
☎01297-21047 FAX 01297-24748

町から車で5分走ると、右手にホテルへのドライブウェイが見えてくる。ホールの大きな柱時計や壁に掛けられたクリケットの絵が、いかにもカントリーホテルらしい。各部屋ともエレガントなインテリアにまとめられ、明るく快適。窓からは、ホテルの庭の向こうに広がる、ドーセットの緑が見渡せる。温室プールやサウナも完備。

ロンドンからの行き方

【鉄道】ロンドンのウォータールー駅から、最寄りのアックスミンスター駅まで2時間半。駅からバス、または、タクシーで町まで約12分。

【バス】ヴィクトリア・コーチステーションから、ナショナルエキスプレスで町まで5時間半。但し、一日一本のみ運行。

【車】M3の14番インターへ、さらにM27の1番インターへ、そしてA31、A35でドーチェスターを通過して、町まで。ロンドンから約3時間10分。

⑥

ⓘ Tourist Information Centre

BROAD STREET

急な坂道！

The Dower House Hotel **⑦**

村から車で5分。

The Old Forge Fossil Company **①**

Alexandra Hotel
ホテルから、花の咲き乱れるスティル・レーンを散歩しよう。

ギルドホールに横の遊歩道は散歩コース。

Cliff Cottage Tea Garden
クリームティーが美味しい。

COBB ROAD

MARINE PARADE

ここから弧を描く村の眺めは、絵はがきのよう。

Harbour Inn
海を眺めながら、パブでひと休み。

LYME REGIS

THE COBB

防波堤の上では、映画「フランス軍中尉の女」のヒロイン気分。

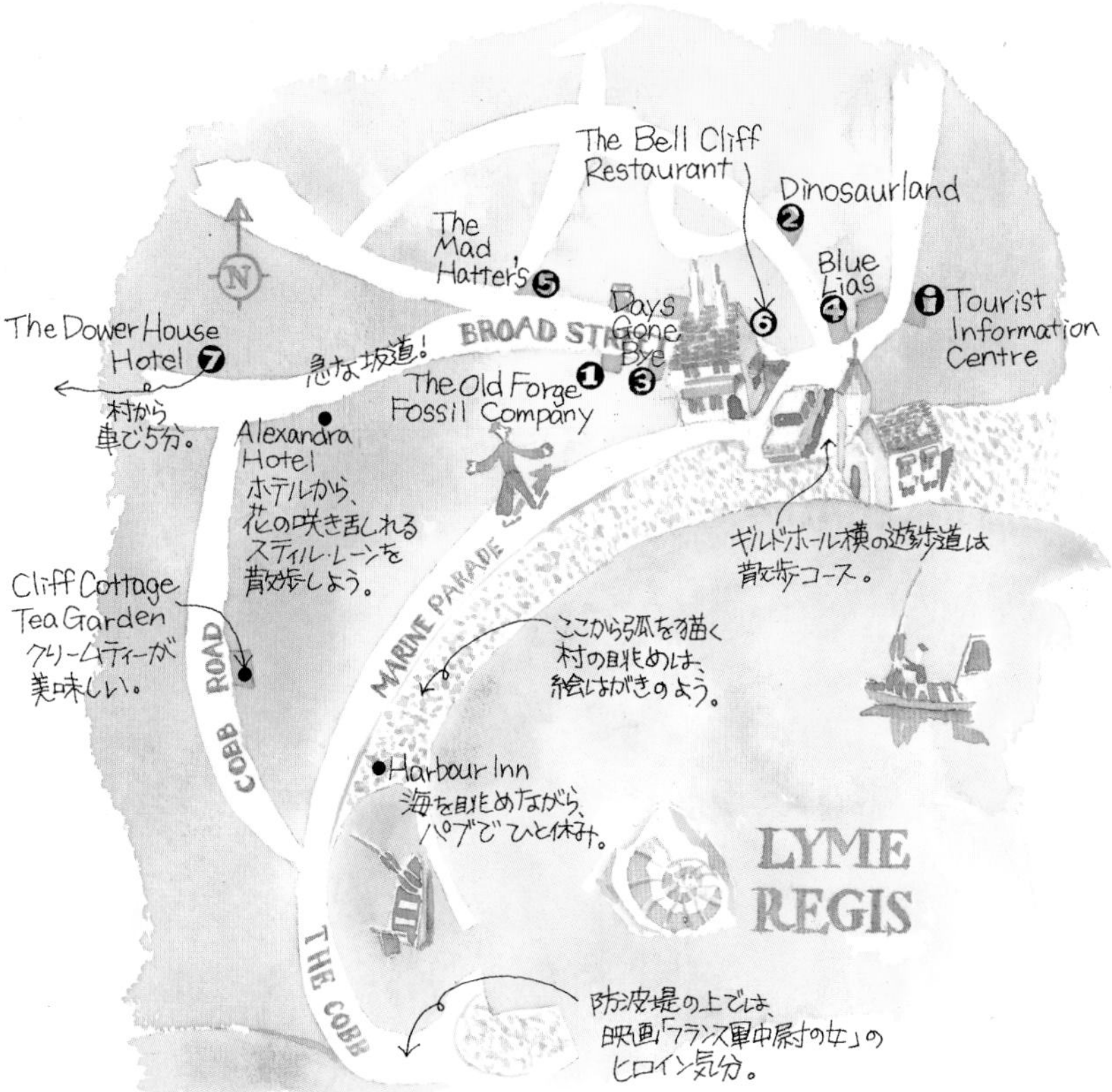

ARUNDEL

アランデル

ショーウィンドゥの片隅に潜んだ宝物に出会う、
変わらぬ栄華を誇る城下町。

緑園を従えた雄々しい城

アランデルは英国では珍しく小高い丘の上にある町。遠くからでも、その城とカテドラルの威容を見過ごすことはない。

アランデル城は、もともと13世紀、中世の建造で、その後何度か修復の手がはいったけれど、力強く男性的な美しさは今も変わらない。

ミル通り（Mill st.）のエントランスから木々に包まれた長い小道を経て、ようやく城の正門にたどり着く。がっしりとした灰色の塔を見上げると、騎士物語の世界へと足を踏み入れる気持ちがしてくる。

15世紀以来、ノーフォーク公の居城で、現在の当主は第十七代目。何とも気が遠くなるような歳月を費やして築かれた、英国の上流貴族の栄華の軌跡をこの城は見守る。

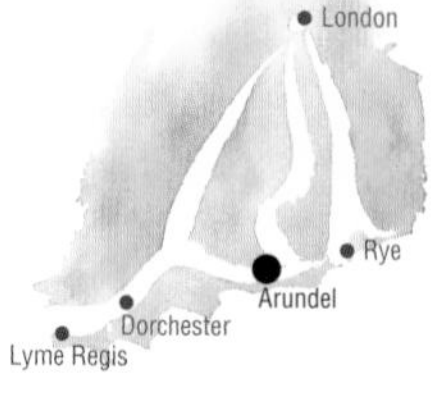

贅《ぜい》をつくした暮らしのシーンに魅了

城の室内の豪華さにも驚かされる。チャペルを改装したダイニングルームは、アーチ型の、目が眩むほど高い天井が特徴的。ステンドグラスに縁取られた細長い窓から優しい光が床にこぼれる。あるいはエレガントなドローイングルーム。金をふんだんに使って飾られた飴色の家具、壁にはヴァン・ダイクら高名な肖像画家の手による歴代公爵一族の絵姿。彫刻をほどこしたウッドパネルで統一、落ち着いた雰囲気の巨大なライブラリーでは、教師だという見学客の紳士が、半ば羨《うらや》ましげに溜め息をついていた。約1万冊の蔵書には稀覯本も少なくない。コレクションといえば、スコットランド女王メアリーの遺品があることでも知られている。

❶ Arundel Cathedral アランデルカテドラル
フランスのゴシック建築を模すカテドラルは、町の高台にその勇壮な姿を見せている。

表に出て、野性のふくろうの保護地である広大な森をバックにした城を、もう一度振り返ると、改めて、英国社会の底力への畏敬《いけい》の念がわきおこる。

アンティーク・ハントの醍醐味を満喫

城の出口から右手に進むとカテドラルが見えてくる。建てられたのは1800年代だが、14世紀のフランスのゴシック建築の様式を模していて、壮麗。

カテドラルの脇、静かな住宅街のキングス通り（Kings st.）を下る。優雅な赤煉瓦のタウンハウスが連なる街路を横切り、タラント通り（Tarrant st.）に至る。有名な城下町であるアランデルは、一方アンティークの町としても名高い。特にこの通り一帯には大小たくさんの個性的なアンティークショップが並んでいる。なかでも、とりわけユニークな存在なのが、スチュアート・トンプソン・ファイン・ケーンズ（Stuart Thompson Fine Canes）。17世紀の古物から現代の新作まで、常時三千本の品揃えを誇るステッキの専門店だ。ご主人のトンプソン氏曰《いわ》く「こんな店は世界中でウチだけじゃないかね。わざわざニューヨークから訪ねてきた客もいるよ」ステッキはコレクターズ・アイテムとしてこれから注目株だと意気軒昂。握りの部分が動物の角のもの、柄に試験管のようなガラス容器を仕込んだ愛飲家向きなど、変わった品も多く、眺めているだけでも楽しい店だ。

また、元教会を利用し、中を小さく仕切ったアンティークのショッピング・アーケード風なのが、タラント・ストリート・アンティークス（Tarrant st. Antiques）。触るのがためらわれるほど繊細な、小花模様の陶器から、ちいさなへこみがご愛敬のブリキのポットまで、あれこれ見ていると時間があっという間に過ぎてしまう。

現在でもノーフォーク公の住まいであるアランデル城の入口。

町の中央、ハイストリートに毅然と立つマーケットクロス。

心地好い疲労を癒《いや》す夕暮れ

ショーウィンドーの向こうできょとんと眼をみはるテディベアに夕日が射してきた。しっかりとした甘さが歩き疲れた体にうれしい田舎風ケーキでお茶にしようか。それとも、アランデルの地ビール（もちろん深い琥珀色をした柔らかく重い口あたりのビター）で早めのアペリティフ？ 城の秘蔵品にだって劣らない、自分で選びぬいた宝物の詰まったショッピング・バッグを胸に、薔薇色に暮れなずむ空を横切る鳥たちの行方をしばし追いつつ、とりとめもない思いを遊ばせるのである。

アラン川の川岸は人々の憩いの場。

❸Spencer Swaffer Antiques

スペンサー・スウェイファー・アンティークス
30 High St. Arundel BN18
☎01903-882132 9.00-18.00 日曜休

2フロアーの広い店内は、ユニークなデザインの家具やインテリア小物のアンティークの宝庫。アール・ヌーボーのランプなどは、その優美な姿にうっとりする。

❷Tarrant Street Antiques

タラント・ストリート・アンティークス
Tarrant St. Arundel BN18
☎01903-884307
10.00-17.00(日曜 11.00-17.00) 無休

英国各地の選りすぐりのアンティークを仕入れる小さな店が、一堂に集まる。セルビアンブルーが美しいスタフォードシャーの陶器、ブラス製品などは、英国らしい品。

❹Stuart Thompson Fine Canes

ステュワート・トンプソン・ファイン・ケーンズ
39 Tarrant St. Arundel BN18
☎01903-883796 8.30-17.30 日曜休

17世紀のステッキも含めて3千本の傘・ステッキをストック。ご主人お薦めの、象牙の取っ手は山高帽の紳士にお似合い。鳥の口ばしが開くようになっているご愛敬のものまである。

❺The Swan Hotel スワン・ホテル

27-39 High St. Arundel BN18
☎01903-882314 FAX 01903-883759

白鳥の羽のごとく白い壁が目印、ハイストリートに面している。パステルカラーの寝室は心地よい広さ。全ての部屋がバスルーム付き。モダンな設備で快適。

ロンドンからの行き方

【鉄道】ロンドンのヴィクトリア駅から、アランデル駅まで1時間50分。

【車】M23の11番インターへ、さらに、A264、A29、A284で町まで。ロンドンから約2時間。

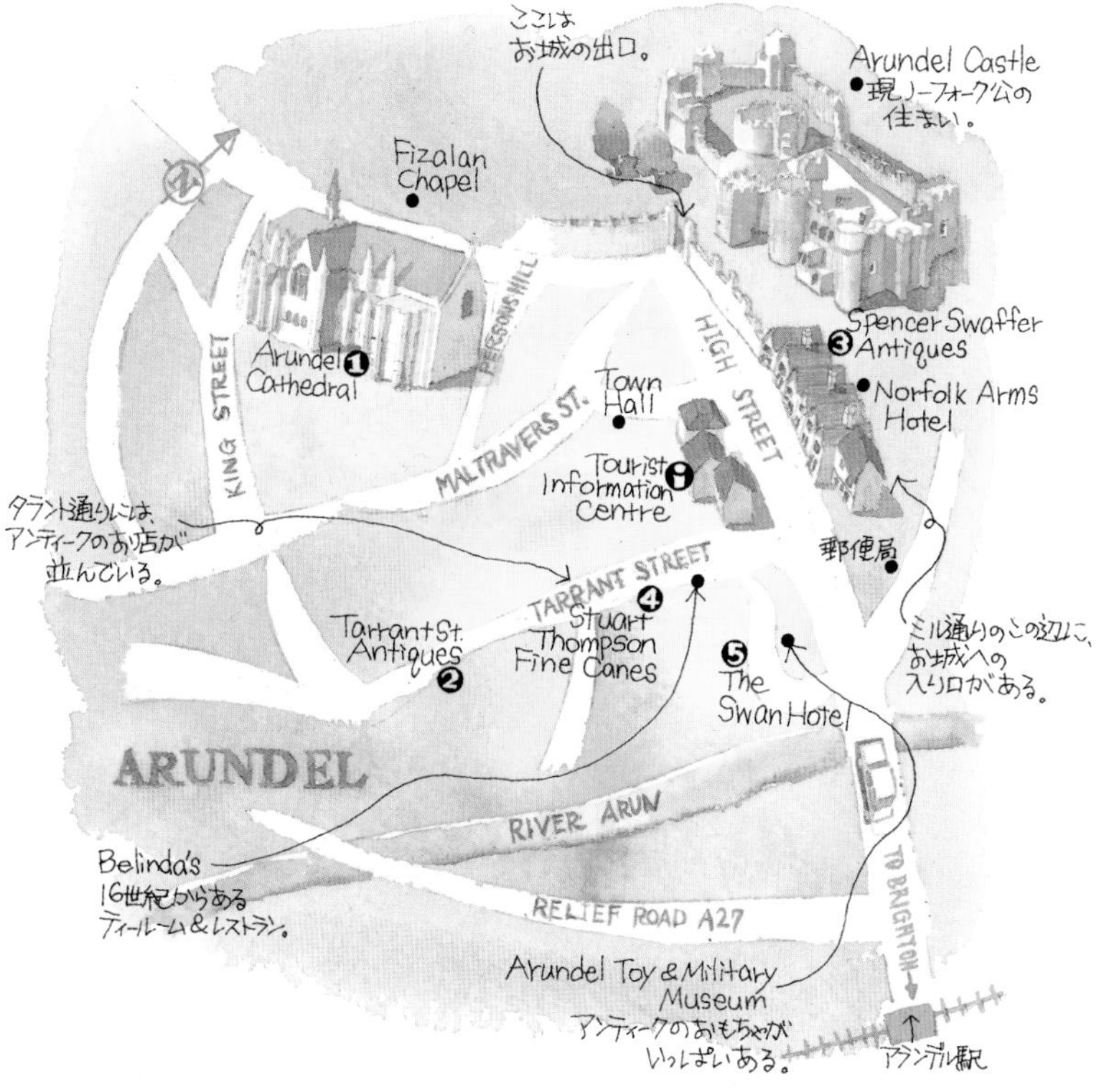

理想の引退生活

中流クラスの英国人が理想とする老後の生活といえば、田舎に越してのんびり暮らすことである。

シティあたりでバリバリ稼いで早めに退職、南の気候のいい田園の村に、使われていない古い農家など見つけて安く買い取り、自ら修繕。内装も好みのままに自分で手掛ける。楽しみと節約を兼ねた、一石二鳥というところか。壁のペンキ塗りや棚を作るくらいは当たり前。DIYの本を片手に、電気・水道・ガスの配線配管までこなすつわものもいる。

家が一段落の次はもちろん庭造りである。これも大仕事。TVのガーデニング関係の番組はあまさずみてメモをとる。薔薇をはわせ、ハーブを植え、芝を育て、夏は欠かさず水まき。園芸家に休日はない。

一通り完成したら、友人や町にいる子供達を呼んで、バーベキューでもてなしながら、お披露目のガーデンパーティ。自慢の新居をトイレから寝室まで一部屋ずつ見せて案内する〝ツアー〟が催《もよお》される。

まあ現実には、新米大工の仕事のためペンキが少々浮いていたり、以前の家具を捨てられぬままに、やたらごちゃごちゃした部屋だったりと、エレガントなインテリアブック通りにはいかないのは、洋の東西を問わずいずこも同じらしいけれど。

資料編

鉄道を利用する

【列車について】

英国の主要都市を結ぶ列車は、**インターシティ**（Inter City）と呼ばれ、日本の特急に相当する。特急料金は不要で、原則として座席の予約も不要なため、空席に自由に座れる。日本と同じオープンサロン式で、2等（Standard）でも4人掛けで、テーブルが備えられている。飲食物の車内販売があり、長距離列車の中には食堂車も付いている。

田舎のローカル線を走る列車には、裸電球をつり下げたような古い客車、6人掛けのコンパートメントも多い。

土曜、日曜、祝祭日には列車の運行本数が大幅に減り、クリスマスとその翌日のボクシングデーは全面運休。また、路線によっては鉄道工事を週末にかけてよく行なうため、時間・経路変更もあり得る。

【ロンドンの8つの駅】

ロンドンには中央駅という名称がなく、列車は行き先によって8つのターミナル駅から発着している。カンタベリーやブライトン方面へは**ヴィクトリア駅**、フォークストンやドーヴァー方面へは**チャリング・クロス駅**、ボーンマス方面へは**ウォータールー駅**、オックスフォードやカーディフ方面へは**パディントン駅**、バーミンガムやマンチェスター方面へは**ユーストン駅**、シェフィールドやダービー方面へは**セント・パンクラス駅**、スコットランド方面へは**キングス・クロス駅**、ケンブリッジ方面へは**リバプール・ストリート駅**から列車が発着する。これらの駅は、地下鉄で相互に結ばれている。

ロンドンの主な鉄道駅

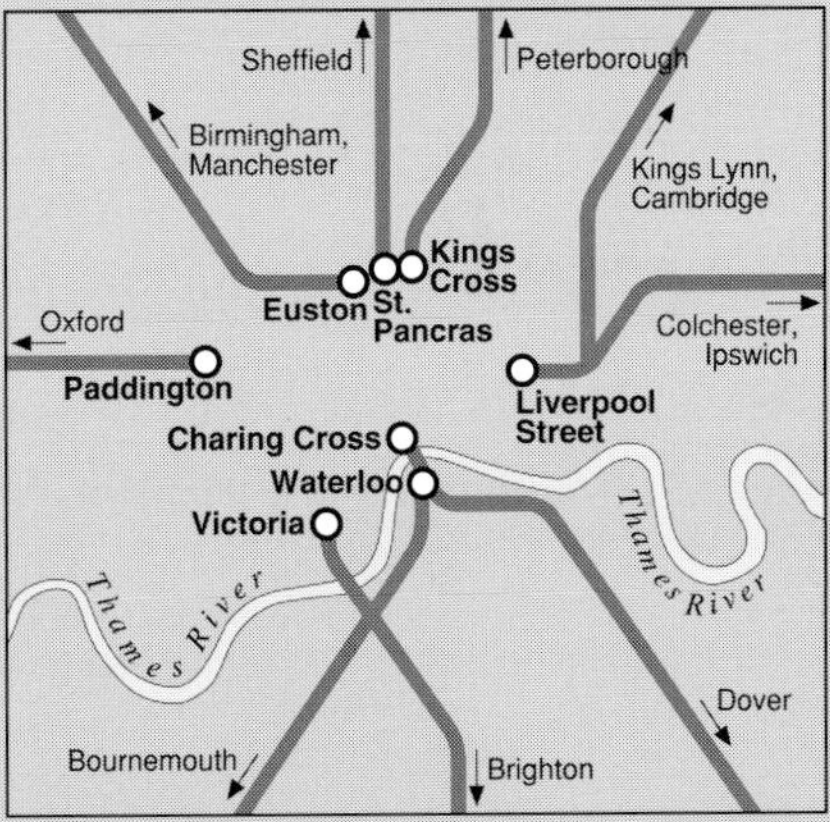

行き先（エリア）	ロンドン出発駅
コッツウォルズ	Paddington
ピークディストリクト	Euston/St Pancras
イーストアングリア	Kings Cross/Liverpool Street
南イングランド	Charing Cross/Victoria/Waterloo

主な鉄道路線図

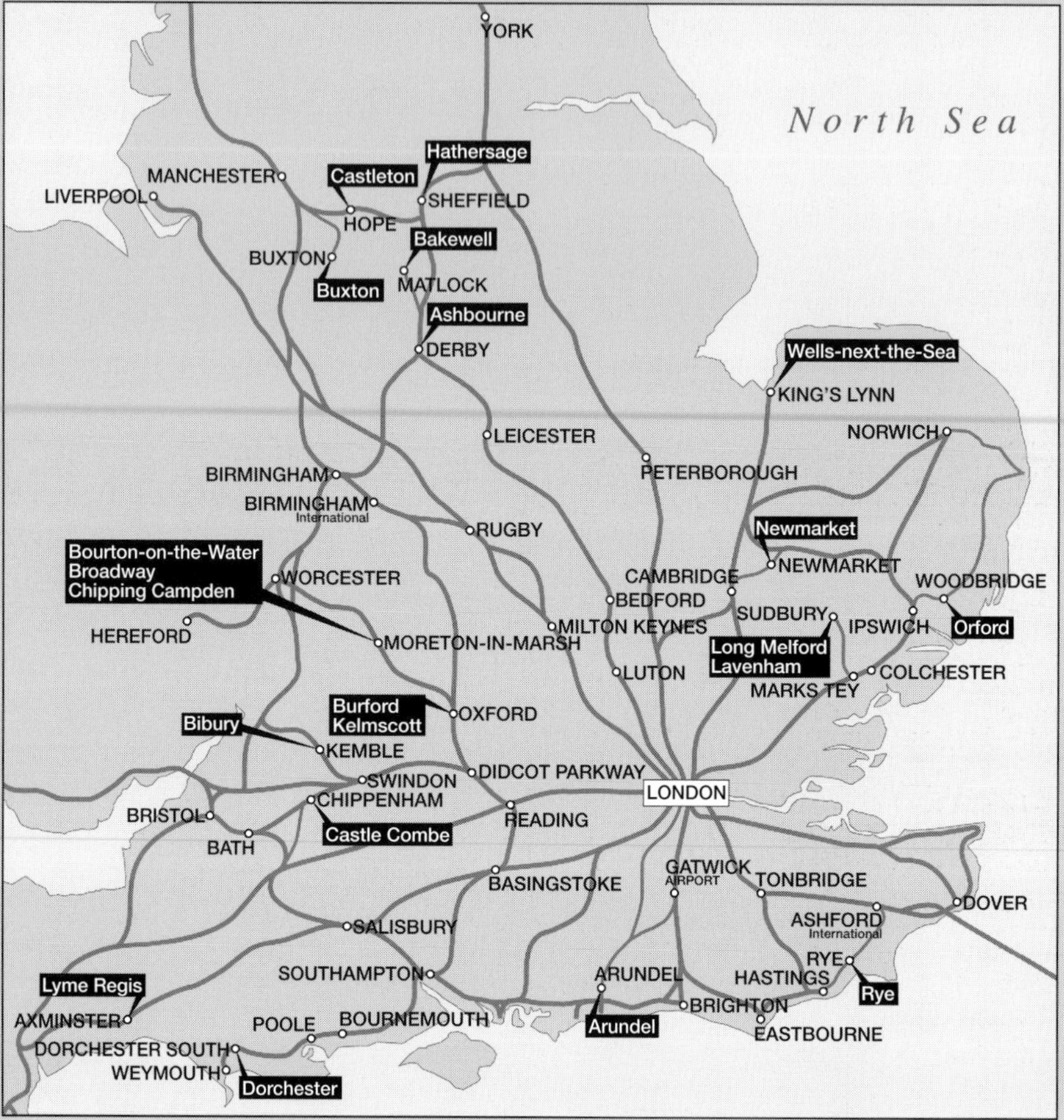

【主な鉄道路線】

英国の鉄道路線は、現在プライベート化が進み、ロンドンに発着する列車だけでも、路線が走る方面によって19社の異なる鉄道会社が運営している。各社の列車は、ロンドンにある8つのターミナル駅をはじめとして、各地の乗り換え駅に相互乗り入れをしているため、異なる鉄道会社が運営する複数の路線区間を乗り継いで行く場合も、再度改札などの必要はない。乗車券も、運営する鉄道会社に関係なく、乗車駅で目的地の駅までの切符を購入する。

　路線によって、各社独自の特別割引切符や、ローカルバスにも乗車できる切符、名所・旧跡への入場料込みの切符などがあり、特典付きのサービスには違いがある。

鉄道でのアクセス

●COTSWOLDS コッツウォルズ

行　先	ロンドン出発駅	乗り換え駅	降車駅	所要時間	降車駅からのアクセス
Burford	Paddington	—	Oxford	45分	タクシーで25分
Kelmscott					タクシーで30分
Bibury		(Swindon)	Kemble	1時間10分	タクシーで15分
Bourton-on-the-Water		Oxford	Moreton-in-Marsh	1時間20分	タクシーで15分
Broadway					バス(559)、タクシーで15分
Chipping Campden					バス(559)、タクシーで15分
Castle Combe		Didcot Parkway	Chippenham	1時間20分	タクシーで20分

●PEAK DISTRICT ピークディストリクト

行　先	ロンドン出発駅	乗り換え駅	降車駅	所要時間	降車駅からのアクセス
Hathersage	St Pancras	—	Sheffield	2時間40分	バス(272)、タクシーで30分
Castleton		Sheffield	Hope	3時間15分	バス(272)、タクシーで30分
Ashbourne		—	Derby	2時間	バス(106/107)、タクシーで20分
Bakewell		Derby	Matlock	2時間40分	バス(R32)、タクシーで25分
Buxton	Euston	Manchester Piccadilly	Buxton	3時間35分	—

●EAST ANGLIA イーストアングリア

行　先	ロンドン出発駅	乗り換え駅	降車駅	所要時間	降車駅からのアクセス
Newmarket	Kings Cross/ Liverpool Street	Cambridge	Newmarket	1時間20分	—
Wells-next-the-Sea		—	King's Lynn	2時間	タクシーで30分
Lavenham	Liverpool Street	(Marks Tey)	Sudbury	1時間半	バス(714)、タクシーで20分
Long Melford					バス(236)、タクシーで20分
Orford		Ipswich	Woodbridge	1時間半	バス(160)、タクシーで30分

●SOUTH ENGLAND 南イングランド

行　先	ロンドン出発駅	乗り換え駅	降車駅	所要時間	降車駅からのアクセス
Arundel	Victoria	—	Arundel	1時間50分	—
Dorchester	Waterloo	(Poole)	Dorchester South	3時間10分	—
Lyme Regis		—	Axminster	2時間40分	バス(31)、タクシーで20分
Rye	Charing Cross	Ashford International	Rye	2時間	—

※上記所要時間はあくまでも目安です。正確な時間は駅の時刻表でお確かめ下さい。

【チケットの種類】

チケットは、片道（One Way）、往復（Return）を選ぶことができる。それぞれに**ファーストとスタンダードクラス**の2種類がある。鉄道を利用する時間帯の中で、月曜から金曜の午前9時半まで（路線によって、時間帯に多少のずれがある）を差して、**ピークタイム**と呼ばれる。この時間帯には、乗り放題のセーバークラスのチケットは利用できないので注意が必要。

【ブリットレイル・パス】

海外からの旅行者に経済的な、英国鉄道全線に所定の日数期間、乗り放題の**ブリットレイル・パス**がある。行先と経路に関係なく、行きたい所にどこでも自由自在に通用する。1等車に乗車できるファーストクラスと、2等車のみに乗車できるスタンダードクラスの二つのタイプがある。このパスは、日本で旅行代理店を通じて申し込み、英国到着前に購入する必要がある。購入から6ヶ月以内に使用開始のこと。他に、英国到着後に購入できる、**サウスイースト・パス**、**アングリア・プラス・パス**など、エリア限定のレイルパスもある。

【割引カード】

各種のチケットと併用できる割引カードとして、**ヤング・パーソンズカード**、**ファミリーレイルカード**、**シニア・レイルカード**、**障害者レイルカード**がある。チケットを買う際にカードを提示すると、**33％割引**でチケットが購入できる。このタイプのカードは、手続きが有料で一年間有効。

各種BRチケット

	種　類	制　限
First Class ファーストクラス	1等車に乗車するチケット。週末のみ有効、シーズン限定のものもある。寝台車両はこのチケットが必要	途中下車は無効
Standard Class スタンダードクラス	2等車にしか乗車できない。週末のみ有効のもの、シーズン限定のものもある	途中下車は無効
Saver Class セーバークラス	1ヶ月以内有効で乗り放題	ピークタイムの時間帯の使用は不可
Brit Rail Pass ブリットレイルパス	有効期間（4日、8日、15日、22日、1ヶ月）以内なら乗り放題	英国内では購入不可（日本で購入すること）

各種割引カード

	対　象	条　件	併用チケットのタイプ
Young Persons 学生割引	16〜25才までの学生	要写真/学生証の提示	スタンダードクラス セーバークラス
Family Railcard ファミリーレイルカード	16才以上（購入時に使用する2名の名前を記入）	大人2名、子供は4名迄が同じチケットの使用可能	スタンダードクラス セーバークラス
Senior Railcard シニアレイルカード	60才以上	要年齢証明するもの/写真	ファーストクラス スタンダードクラス セーバークラス
Disabled Persons 障害者レイルカード	何らかの身体的障害を認定されている人	要障害者証明書/写真	ファーストクラス スタンダードクラス セーバークラス

長距離バスを利用する

【ナショナル・エクスプレス】

英国全土をネットワーク・ルートで結ぶ長距離バス(Coach)。行き先に関係なく、全てのコーチはロンドンのヴィクトリア鉄道駅の近くにある**ヴィクトリア・コーチステーション**から出発する。何箇所もの都市や町を経由する場合もあるので、車より比較的時間がかかる。

正規片道料金の**スタンダード・シングル**、当日のみ有効往復割引の**デイ・リターン**、一定期間中の往復で帰りをオープンにできる**ピリオド・リターン**がある。旅行者に便利なパスとして、決められた日数の期間内であれば、距離や経路の制限なしに利用できる**ツーリスト・トレイル・パス**がある。

レンタカーを利用する

【レンタカーを借りる】

国際免許証、または、日本大使館の印がある翻訳書付きの日本の運転免許証の提示が必要。21才以上の年齢制限がある所もある。料金は会社によって異なり、週末や週間割引などもある。乗り捨て可能のサービスをしている所は少ないので確認が必要。返却時にはガソリンを満タンにする。

【事故・その他の緊急時に備える】

故障の際は、適当な間隔で設置されているRACとAAの2つの団体の路上電話を利用。日本自動車連盟（JAF）がAAと提携しているので、日本でAAの臨時会員の手続きをしておけば（6ヶ月有効）、英国人と同様のサービスが受けられる。

ヴィクトリア・コーチステーション周辺図

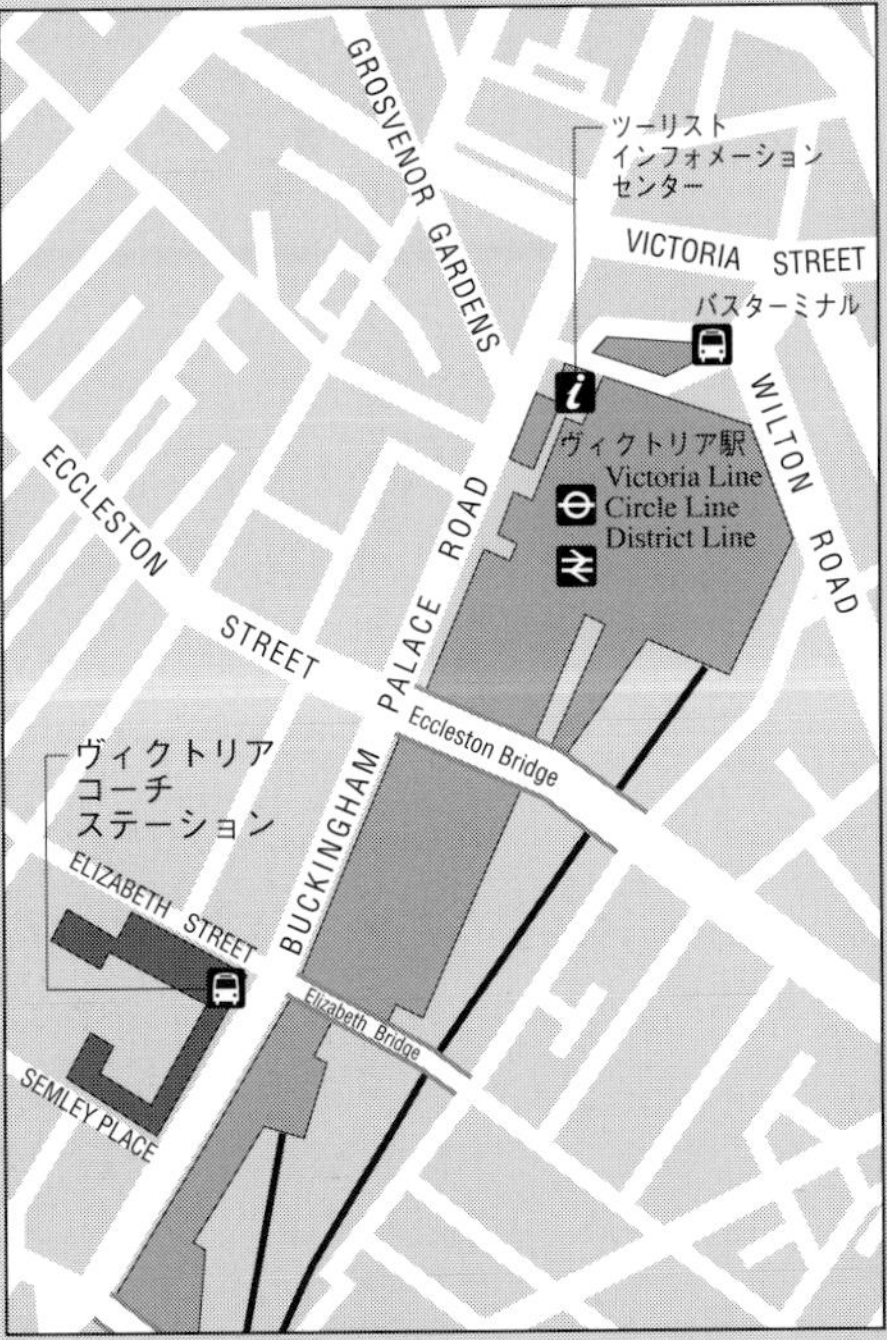

緊急時の連絡先	
RAC	フリーダイヤル：0800-828282
AA	フリーダイヤル：0800-887766

レンタカー連絡先	
Avis	Hayes Gate House, 27 Uxbridge Rd. Hayes, Middlesex UB4 0JN ☎0990-900500 (ヒースロー空港) ☎020-8899-1000 (ガトウィック空港) ☎1293-529721
Hertz	Radnor House, 1272 London Rd. Norbury, London SW16 4XW ☎0990-906090 (ヒースロー空港) ☎020-8759-0557 (ガトウィック空港) ☎01293-530555
Eurodollar	Beasley Court, Warwick Pl. Uxbridge Middlesex UB8 1PE ☎0990-565656 (ヒースロー空港)☎020-8897-3232 (ガトウィック空港) ☎01293-567790

主な道路図

Mロード	道路標識はブルー地に白抜き文字
高速道路だが全線無料。最高時速70マイル（112）キロ。通常サービスステーションがある。但し、ロンドン→オックスフォード間のM40にはなく、ロンドン→ケンブリッジ間のM11には少ないので注意が必要。	

Aロード	道路標識はグリーン地に白抜き文字
一級幹線道路。通常最高時速60マイル（96キロ）。但し、別に速度制限標識がある場合はそれに従う。中央分離帯がある複数車線の道路が多いが、サービスステーションはない。	

Bロード	道路標識は白地に黒文字
二級道路。最高時速30～40マイル（48～64キロ）。	

車でのアクセス

●COTSWOLDS コッツウォルズ

行先	経路			所要時間
Burford	London→A40 →M40(J8)→(Oxford)	→A40→**Burford**	—	約2時間
Bibury			→B4425→**Bibury**	約2時間20分
Bourton-on-the-Water			→A424→A429→**Bourton-on-the-Water**	約2時間20分
Kelmscott		→A4045→**Kelmscott**		約2時間
Broadway		→A44→**Broadway**	—	約2時間半
Chipping Campden			→B4081→**Chipping Campden**	約2時間半
Castle Combe	London→M4(J17)→A350→Chippenham→A420→B4039→**Castle Combe**			約2時間半

●PEAK DISTRICT ピークディストリクト

行先	経路			所要時間
Ashbourne	London→M1(J24)→A6→(Alvaston)→A5111→(Derby)→A52→**Ashbourne** 約3時間			
Hathersage	London→M1(J29) →A617→Chesterfield→A619	→A623→(Baslow)→(Calver)→B6001 →**Hathersage**	—	約3時間半
Castleton			→**Castleton**	約3時間50分
Bakewell	London→M1(J28) →A38→A6	→**Bakewell**	—	約3時間20分
Buxton			→**Buxton**	約3時間40分

●EAST ANGLIA イーストアングリア

行先	経路			所要時間
Newmarket	London→A11→A12	→M11(J9) →A11	→A1304→**Newmarket**	約2時間
Wells-next-the-Sea			→A14→A11→A1065→(Fakenham)→B1105 →**Wells-next-the-Sea**	約3時間10分
Long Melford		→A1016→A130→A131→A120→A131→A134 →**Long Melford**	—	約2時間20分
Lavenham			→**Lavenham**	約2時間半
Orford		→(Woodbridge)→B1084→**Orford**		約2時間40分

●SOUTH ENGLAND 南イングランド

行先	経路		所要時間
Arundel	London→A23→M23(J11)→A264→(Five Oaks)→A29→A284→**Arundel**		約2時間
Dorchester	London→A316→M3(J14)→M27(J1)→A31 →(Bere Regis)→A35→**Dorchester**	—	約2時間40分
Lyme Regis		→**Lyme Regis**	約3時間10分
Rye	London→A2→A21→M25(J5)→A21→(Flimwell)→A268→**Rye**		約2時間

※Jはモーターウェイのインターチェンジを表す。

名所・旧跡を訪ねる

【ツーリスト・インフォメーション】

英国には、小さな町や村にまで、必ずと言ってよいほど観光情報を紹介するツーリスト・インフォメーション・センターがある。サービス内容は、宿泊施設の紹介と予約（場所により予約の手数料を取る所もある）、町の地図、名所・旧跡の案内やガイドブック、レストランやショップのリスト、交通情報などをツーリストの要望に応じて提供する。場所によっては、町を散策しながら歴史的な場所をガイドする（英語のみ）ツアーの企画も行なっている。小さな町のツーリスト・オフィスの中には、夏のハイシーズンしか開いていない所もある。ほとんどが英国観光局（British Tourist Authority）によって運営されているが、小規模の町や村では、地元の人が独自で運営するツーリスト・オフィスも見られる。

【名所・旧跡への入場】

ほとんどの英国の名所・旧跡は有料。マナーハウスなど貴族の館が公開されている所では、庭園や館内によって料金別払いになっている所もある。英国の冬シーズン（だいたい11月上旬から3月下旬まで）は閉館になる所もあるので注意が必要。特に、ナショナル・トラストやイングリッシュ・ヘリテイジが所有する所はこれに該当する。オープン時間も季節によってまちまちで、夏は長く、それ以外は早々に閉じてしまうことが多い。クリスマスとその翌日のボクシングデーは閉じている所がほとんど。一部を除いて、日曜・祝日・祭日はオープンしている。

本書に取り上げるエリアのツーリストオフィス

	町村名	住所	電話番号	FAX番号
コッツウォルズ	Bath	Abbey Chambers, Abbey Church Yard, Bath BA1 1LY	01225-462831	01225-477221
	Burford(Bibury, Kelmscott)	The Brewery, Sheep St. Burford OX18 4LP	01993-823558	01993-823590
	Broadway	1 Cotswold Court, The Green, Broadway WR12 7AA	01386-852937	—
	Chippenham(Castle Combe)	The Citadel, Bath Rd. Chippenham SN15 2AA	01249-657733	01249-460776
	Chipping Campden	Town Hall, High St. Chipping Campden GL55	01386-841206	01386-841681
	Stow-on-the-Wold(Bourton-on-the-Water)	Hollis House, The Square, Stow-on-the-Wold GL54 1AF	01451-831082	01451-870083
ピークディストリクト	Ashbourne	13 Market Pl. Ashbourne DE6 1EU	01335-343666	01335-300638
	Bakewell(Hathersage)	The Old Market Hall, Bridge St. Bakewell DE4 1DS	01629-813227	TELと同じ
	Buxton	The Crescent, Buxton SK17 6BQ	01298-25106	01298-73153
	Castleton	Castle St. Castleton S33 8WG	01433-620679	—
イーストアングリア	Aldeburgh(Orford)	The Cinema, High St. Aldeburgh IP15 5AX	01728-453637	—
	Lavenham	Lady St. Lavenham CO10 9RA	01787-248207	—
	Newmarket	63 The Rookery, Newmarket CB8 8HT	01638-667200	—
	Sudbury(Long Melford)	Town Hall, Market Hill, Sudbury CO10 6TL	01787-881320	—
	Wells-next-the-Sea	Staithe St. Wells-next-the-Sea NR23 1AN	01328-710885	—
南イングランド	Arundel	61 High St. Arundel BN18 9AJ	01903-882268	01903-882419
	Dorchester	Antelope Walk, Dorchester DT1 1BE	01305-267992	01305-266079
	Lyme Regis	Church St. Lyme Regis DT7 3BS	01297-442138	01297-443773
	Rye	Strand Quay, Rye TN31 7AY	01797-226696	—

※（　）内の町村名は、同じツーリストオフィスが紹介していることを示す。

【観光スポットのサイン】

観光名所とされている場所に向かう道路の分岐点には、その場所の方角へツーリストを誘導するようにサインが立っている。茶色地に白でツーリスト・アトラクションのマークと名称が示されている。英国内で手に入る道路地図や、ツーリスト・オフィスが出す観光マップなどにも、同じサインが利用されているので、目的地を見つけるのに役立つ。

【ナショナル・トラスト】

1895年以来、英国と北アイルランドの歴史ある建築物や美しい自然を保護するため、その購入を提唱し、管理、運営している非営利団体。英国政府からの寄付金を受けず、独自のメンバーを募ることで活動資金を得ている。現在、国内の200以上の歴史的な建物、160以上の庭園などを所有する。もともと、環境保護のための組織なので、見学の際には、内部の写真撮影は全面禁止、禁煙、ハイヒールはお断り。大きな都市には、ナショナル・トラストが運営する店があり、自然環境の保護にちなんで、自然のデザインをモチーフにした、雑貨やギフト、所有する建物や庭園に関するガイドブックなどを置いている。

【イングリッシュ・ヘリテイジ】

英国の歴史的遺産を潤滑に相続すべく、1984年に英国議会によって設立された。ナショナル・トラストと異なり、運営資金は部分的に政府の出資であり、建築物等の、歴史的価値についての公式アドバイスを政府に行なうことにより、環境の保護、監察の機能を果たしている。また、職員には、歴史的建築物に関する専門技能を持つ伝統職人も揃え、保存と修復に力を入れている。現在、保存すべき場所としてリストに挙がっているのは、国内の建物の約2%に当たる、50万件の建築物。

観光アトラクション標識

	ツーリスト・インフォメーション
	ツーリストボード認定アトラクション
	ナショナル・トラスト
	イングリッシュ・ヘリテイジ
	歴史的建造物
	教会・大聖堂
	ローマ遺跡
	美術館・博物館
	航空博物館
	動物園
	ワイルドライフ・パーク
	カントリー・パーク
	ウッド・ランド
	バード・ガーデン
	フラワー・ガーデン
	蒸気機関車
	ビーチ
	ヴューポイント
	ピクニックエリア
	キャラバンサイト
	キャンピングサイト

主な見どころ

NT=ナショナル・トラスト所有　EH=イングリッシュ・ヘリテイジ所有
≷最寄り駅　☎電話番号　Ⓕファクシミリ番号

COTSWOLDS　コッツウォルズ

Barnsley House Garden バーンズリー・ハウス・ガーデン ローズマリー・ベレイによる庭園		Barnsley GL7 7EE ≷Oxford	☎01285-740281	
Blenheim Palace ブレナム・パレス ウィンストン・チャーチルの生家		Blenheim Palace, Woodstock OX20 1PX ≷Oxford	☎01993-811325	
Burford House Gardens バーフォード・ハウス・ガーデンズ ジョージアンハウスの庭園		Tenbury Wells WR15 8HQ ≷Oxford	☎01584-810777	Ⓕ01584-810673
Hidcote Manor Garden ヒドコート・マナー・ガーデン ハーブ園などの多くの小庭園からなる	NT	Hidcote Bartrim, nr Chipping Campden GL55 6LR ≷Honeybourne	☎01386-438333	
Snowshill Manor スノーズヒル・マナー チューダー様式の邸宅	NT	Snowshill, nr Broadway WR12 7JU ≷Moreton-in-Marsh	☎01386-852410	ⒻTELと同じ

PEAK DISTRICT　ピークディストリクト

Chatsworth House チャッツワース・ハウス デボンシャー公の美邸		Chatsworth, Bakewell DE45 1 PP P44参照 ≷Matlock	☎01246-582204	Ⓕ01246-583536
Haddon Hall ハドン・ホール 12世紀のマナーハウス		Bakewell DE45 1LA ≷Matlock	☎01629-812855	Ⓕ01629-814379
Kedleston Hall ケドルストン・ホール 大理石の広間が有名な邸宅	NT	Derby DE22 5JH ≷Derby	☎01332-842191	Ⓕ01332-841972
Poole's Cavern プールズ洞窟 天然の石灰洞窟		Green Lane, Buxton SK17 9DH ≷Buxton	☎01298-26978	ⒻTELと同じ
Speedwell Cavern スピードウェル洞窟 ボートで地下探検が味わえる		Winnats Pass, Castleton S30 2WA ≷Hope	☎01433-620512	Ⓕ01433-621888

EAST ANGLIA　イーストアングリア

Audley End House オードリー・エンド・ハウス サフォーク伯が建てた家	EH	Audley End, Saffron Walden CB11 4JF ≷Audley End	☎01799-522399	
Holkham Hall ホークハム・ホール パラディオ式の邸宅		Holkham Pk. Wells-next-the-Sea NR23 1AB ≷King's Lynn	☎01328-710227	Ⓕ01328-711707
Kentwell Hall ケントウェル・ホール 中世スタイルの生活を再現する大邸宅		Kentwell Hall, Long Melford CO10 9BA P65参照 ≷Sudbury	☎01787-310207	Ⓕ01787-379318
Melford Hall メルフォード・ホール チューダー様式の石邸	NT	Long Melford CO10 9AH ≷Sudbury	☎01787-880286	
The National Stud ナショナル・スタッド サラブレッドの飼育場		Newmarket CB8 0XE P73参照 ≷Newmarket	☎01638-663464	Ⓕ01638-665173

SOUTH ENGLAND　南イングランド

Arundel Castle アランデル城 ノーフォーク公の住まい		Arundel BN18 9AB P92参照 ≷Arundel	☎01903-883136	
Athelhampton House アッソルハンプトン・ハウス 典型的な中世の家		Hope Sq. Dorchester DT2 7LG ≷Dorchester South	☎01305-848363	
Hardy's Cottage ハーディズ・コテージ トマス・ハーディの生家	NT	Higher Bockhampton, nr Dorchester DT2 8QJ P86参照 ≷Dorchester South	☎01305-262366	
Kingston Lacy House キングストン・レーシー・ハウス 邸内にルーベンスなどの美術コレクションを展示	NT	Wimborne Minster BH21 4EA ≷Poole	☎01202-883402	
Lamb House ラム・ハウス ヘンリー・ジェームスの住まいだった	NT	West St. Rye TN31 7ES ≷Rye	☎01892-890651	

宿泊先を探す

【宿泊先を選ぶ】

英国ツーリスト・ボードなどが設定する等級が設備・環境などを知る基準となる。ホテルやB&Bの宿泊リストは、各エリアのツーリスト・オフィスがタイプ別に料金、等級、設備などを比較掲載している。ツーリスト・オフィスで部屋の予約をしてくれる所もあるが、少額ながら手数料がかかる場合が多い。

【自分で予約する】

予約の際には、シングル、ダブル、ツインルームのいずれか、シャワー・バス付きかの希望を伝える。カントリーサイドの宿泊施設、特に、B&Bは部屋数が少ない所が多い。シーズンによっては、すぐに満員になるので予約が望ましい。

【旅行代理店で予約する】

ロンドンにある、日系の旅行代理店では、英国のカントリーサイドを旅行する際に必要な情報を提供、交通手段やホテルの予約などの相談に応じてくれる。

マイバスセンター　My Bus Centre 15 Lower Regent Street, London SW1Y 4LR
TEL(London) 020-7976-1191 FAX(London) 020-7976-1192
最寄りの地下鉄駅　Piccadilly Circus　営業時間9時～18時
年中無休

宿泊施設の種類

種　類	特　徴
B&B ビー・アンド・ビー	Bed & Breakfastのこと。民家や農家での民宿。宿泊と朝食だけのサービス。手頃な値段で家族経営が多く、親しみやすい雰囲気。
Guest Houses ゲストハウス	B&Bより規模が大きい。食堂があっても宿泊客以外にはサービスしない。酒類提供のライセンスもない。食事も朝食のみがほとんど。バス付きやシングルルームは少ない。
Inn イン	日本でいう旅館。14~19世紀の旅篭だったものが多く残り、パブやレストランの階上が宿泊施設になっている場合が多い。
Manor Houses, Country Houses マナーハウス、カントリーハウス	貴族や地方の豪族の、館や田舎の別荘などをホテルに改装したもの。格式ある英国らしさを楽しむには最適。環境的にも恵まれており静かに寛げる。レストランも充実している。

ツーリスト・オフィスなどによる等級表

英国ツーリストボードによる等級		AA、RACによる等級	
♛♛	食堂とラウンジが別。テレビがラウンジか客室にある。	☆☆	適当な共用のバスとトイレがある。
♛♛♛	1/3以上の部屋が、バス、トイレ付き。ゲストが操作可能な暖房の設備。ラウンジ以外にバーがある。	☆☆☆	殆どの部屋に手洗いがついている。食事の施設が整っている。
♛♛♛♛	3/4以上の部屋が、バス、トイレ付き。カラーTV、ラジオ、電話が各部屋にある。ラウンジは深夜までオープン。24時間アクセスできる。	☆☆☆☆	ハイスタンダードのサービス、施設。全室手洗い付き。ルームサービスがある。
♛♛ ♛♛♛	全室、バス、シャワー、トイレ付き。机やズボンプレス機がある。	☆☆ ☆☆☆	豪華なホテル。サービス、施設、食事ともにハイスタンダード。

田舎町の宿泊リスト

料金：ダブルルーム1泊が££££=£200以上／£££=£100~200／££=£50~100／£=£50以下
≹最寄り駅 ☎電話番号 Ⓕファクシミリ番号 クレジットカード：VISAビザ M/Cマスター AMEXアメックス Dダイナース JCBJCB

▼コッツウォルズ

BOURTON-ON-THE-WATER ≹MORETON-IN-MARSH ボートン・オン・ザ・ウォーター

名称	種類	料金	住所	電話	ファクス	カード	参照
Berkeley Guest House バークリー・ゲストハウス	B & B	£	Moore Rd. Bourton-on-the-Water GL54	☎01451-810388	ⒻTELと同じ		
Broadlands Guest House ブロードランズ・ゲストハウス	B & B	£	Clapton Row, Bourton-on-the-Water GL54	☎01451-822002	Ⓕ01451-821776	VISA M/C	
The Dial House Hotel ダイヤル・ハウス	B & B	£££	The Chestnuts, High St. Bourton-on-the-Water GL54	☎01451-822244	Ⓕ01451-810126	VISA M/C	P11参照
The Duke of Wellington Hotel デューク・オブ・ウェリントン	B & B	£	Sherborne St. Bourton-on-the-Water GL54	☎01451-820539			
Mrs M. S. Hewkin ミセス・ヒューキン	B & B	£	Station Villa, 2 Station Rd. Bourton-on-the-Water GL54	☎01451-810406			
The Old Manse Hotel オールド・マンス	ホテル	£££	Victoria St. Bourton-on-the-Water GL54	☎01451-820082	Ⓕ01451-810381	VISA M/C AMEX D	P11参照
Old New Inn オールド・ニュー・イン	イン	££	High St. Bourton-on-the-Water GL54	☎01451-820467	Ⓕ01451-810236	VISA M/C	

CHIPPING CAMPDEN ≹MORETON-IN-MARSH チッピング・カムデン

名称	種類	料金	住所	電話	ファクス	カード	参照
The Cotswold House Hotel コッツウォルド・ハウス	ホテル	£££	The Square, Chipping Campden GL55	☎01386-840330	Ⓕ01386-840310	VISA M/C AMEX D	P16参照
The King's Arms Hotel キングズ・アームズ	B & B	££	The Square, Chipping Campden GL55	☎01386-840256	Ⓕ01386-841598	VISA M/C AMEX D JCB	P16参照
The Malt House モルト・ハウス	B & B	££	Broad Campden, Nr Chipping Campden GL55	☎01386-840295	Ⓕ01386-841334	VISA M/C AMEX JCB	
The Noel Arms ノエル・アームズ	イン	££	High St. Chipping Campden GL55	☎01386-840317	Ⓕ01386-841136	VISA M/C AMEX D	

BIBURY ≹KEMBLE バイブリー

名称	種類	料金	住所	電話	ファクス	カード	参照
Bibury Court Hotel バイブリー・コート	マナーハウス	££	Bibury GL7	☎01285-740337	Ⓕ01285-740660	VISA M/C AMEX D JCB	P22参照
The Jenny Wren ジェニー・ウレン	B & B	£	11 The Street, Bibury GL7	☎01285-740555			
The Swan Hotel スワン	ホテル	£££	Bibury GL7	☎01285-740695	Ⓕ01285-740473	VISA M/C AMEX JCB	P22参照

BROADWAY ≹MORETON-IN-MARSH ブロードウェイ

名称	種類	料金	住所	電話	ファクス	カード	参照
The Broadway Hotel ブロードウェイ	ホテル	££	The Green, Broadway WR12	☎01386-852401	Ⓕ01386-853879	VISA M/C AMEX D	P28参照
Cowley House カウリー・ハウス	B & B	£	Church St. Broadway WR12	☎01386-853262			
Crown & Trumpet Inn クラウン&トランペット・イン	イン	£	Church St. Broadway WR12	☎01386-853202	Ⓕ01386-853854	VISA M/C JCB	
The Lygon Arms リゴン・アームズ	ホテル	££££	High St. Broadway WR12	☎01386-852255	Ⓕ01386-858611	VISA M/C AMEX	
The Old Rectory オールド・レクトリー	B & B	££	Church St. Willersey, Nr Broadway WR12	☎01386-853729	Ⓕ01386-858061	VISA M/C	P28参照

田舎町の宿泊リスト

名称	種類	料金	住所	電話	FAX	カード	参照
Olive Branch オリーブ・ブランチ	B & B	££	78 High St. Broadway WR12	☎01386-853440	Ⓕ TELと同じ	AMEX	
Pathlow House パソロウ・ハウス	B & B	£	82 High St. Broadway WR12	☎01386-853444			

CASTLE COMBE ≉CHIPPENHAM　カースル・クーム

名称	種類	料金	住所	電話	FAX	カード	参照
The Castle Inn カースル・イン	B & B	££	Castle Combe SN14	☎01249-783030	Ⓕ01249-782315	VISA M/C AMEX D	P32参照
The Manor House マナー・ハウス	マナー・ハウス	££££	Castle Combe SN14	☎01249-782206	Ⓕ01249-782159	VISA M/C AMEX D JCB	

BURFORD ≉OXFORD　バーフォード

名称	種類	料金	住所	電話	FAX	カード	参照
The Bay Tree Hotel ベイ・ツリー	イン	£££	Sheep St. Burford OX18	☎01993-822791	Ⓕ01993-823008	VISA M/C AMEX D	
Cotswold Gateway Hotel コッツウォルド・ゲイトウェイ	B & B	££	Cheltenham Rd. Burford OX18	☎01993-822695	Ⓕ01993-823600	VISA M/C AMEX D	
The Golden Pheasant ゴールデン・フェザント	イン	££	91 High St. Burford OX18	☎01993-823417	Ⓕ01993-822621	VISA M/C AMEX	P36参照
The Lamb Inn ラム・イン	イン	££	Sheep St. Burford OX18	☎01993-823155	Ⓕ01993-822228	VISA M/C	P36参照

▼ピークディストリクト

BAKEWELL ≉MATLOCK　ベイクウェル

名称	種類	料金	住所	電話	FAX	カード	参照
Castle Inn カースル・イン	イン	£	Castle St. Bakewell DE45	☎01629-812103		VISA M/C	
Croft Cottages クロフト・コテージズ	B & B	£	1 Croft Cottages, Coombs Rd. Bakewell DE45	☎ 01629-814101	Ⓕ TELと同じ		P44参照
Milford House Hotel ミルフォード・ハウス	ホテル	££	Mill St. Bakewell DE45	☎01629-812130		VISA M/C	
Rutland Arms Hotel ラトランド・アームズ	ホテル	££	The Square, Bakewell DE45	☎01629-812812	Ⓕ01629-812309	VISA M/C AMEX D	P44参照

CASTLETON ≉HOPE　カースルトン

名称	種類	料金	住所	電話	FAX	カード	参照
Bargate Cottage バーゲイト・コテージ	B & B	£	Market Pl. Castleton S30	☎01433-620201	Ⓕ01433-621739		
The Rambler's Rest ランブラーズ・レスト	B & B	£	Mill Bridge, Castleton S30	☎01433-620125			
Ye Olde Cheshire Cheese イ・オールド・チェシャー・チーズ	イン	££	How Lane, Castleton S30	☎01433-620330	Ⓕ01433-621847	VISA M/C	
Ye Olde Nag's Head Hotel イ・オールド・ナグズ・ヘッド	B & B	££	Cross St. Castleton S30	☎01433-620248	Ⓕ01433-621604	VISA M/C AMEX	P48参照

ASHBOURNE ≉DERBY　アッシュボーン

名称	種類	料金	住所	電話	FAX	カード	参照
Callow Hall Country House Hotel カロウ・ホール・カントリーハウス	ゲストハウス	£££	Mappleton Rd. Ashbourne DE6	☎01335-343403	Ⓕ01335-343624	VISA M/C AMEX D	P52参照
Compton Guest House コンプトン・ゲストハウス	B & B	£	27/31 Compton, Ashbourne DE6	☎01335-343100			
The Green Man Royal Hotel グリーン・マン・ロイヤル	イン	££	St John's St. Ashbourne DE6	☎01335-345783	Ⓕ01335-346613	VISA M/C AMEX D JCB	
Paula Coker-Mayers ポーラ・コーカー・メイヤーズ	B & B	£	Coach House, 52 The Firs, Ashbourne DE6	☎01335-300145			P52参照

田舎町の宿泊リスト

BUXTON ≷BUXTON　バクストン

Name	Type	Price	Address	Tel	Fax	Cards
The Buckingham Hotel バッキンガム	ホテル	££	1 Burlington Rd. Buxton SK17	☎01298-70481	Ⓕ01298-72186	VISA M/C AMEX D
Lakenham レイクハム	B & B	£	11 Burlington Rd. Buxton SK17	☎01298-79209		
Old Hall Hotel オールド・ホール	ホテル	££	The Square, Buxton SK17 P55参照	☎01298-22841	Ⓕ01298-72437	VISA M/C AMEX D JCB
The Portland Hotel ポートランド	ホテル	££	32 St John's Rd. Buxton SK17	☎01298-71493	Ⓕ01298-27464	VISA M/C D

HATHERSAGE ≷SHEFFIELD　ハザセッジ

Name	Type	Price	Address	Tel	Fax	Cards
The George Hotel ジョージ	ホテル	££	Main Rd. Hathersage S30	☎01433-650436	Ⓕ01433-650099	VISA M/C AMEX D
Hathersage Inn ハザセッジ・イン	イン	££	Main Rd. Hathersage S30	☎01433-650259	Ⓕ01433-651199	VISA M/C AMEX D JCB
The Millstone Inn ミルストーン・イン	イン	££	Sheffield Rd. Hathersage S30	☎01433-650258	Ⓕ01433-651664	VISA M/C
Plough Inn プラウ・イン	B & B	£	Leadmill Bridge, Hathersage S30	☎01433-650319		

WELLS-NEXT-THE-SEA ≷KING'S LYNN　ウェルズ・ネクスト・ザ・シィ

Name	Type	Price	Address	Tel	Fax	Cards
The Crown Hotel クラウン	ホテル	££	The Buttlands, Wells-next-the-Sea NR23	☎01328-710209	Ⓕ01328-711432	VISA M/C AMEX D
West End House ウェスト・エンド・ハウス	B & B	£	Dogger Lane, Wells-next-the-Sea NR23	☎01382-711190		
Wingate ウィンゲイト	B & B	£	Two Furlong Hill, Wells-next-the-Sea NR23 P62参照	☎01328-711814	Ⓕ01328-710122	

LONG MELFORD ≷SUDBURY　ロング・メルフォード

Name	Type	Price	Address	Tel	Fax	Cards
The Bull ブル	ホテル	££	Hall St. Long Melford CO10 P66参照	☎01787-378494	Ⓕ01787-880307	VISA M/C AMEX D
The Countrymen カントリーメン	B & B	££	The Green, Long Melford CO10	☎01787-312356	Ⓕ01787-374557	VISA M/C AMEX JCB
The Crown Hotel クラウン	B & B	£	Hall St. Long Melford CO10	☎01787-377666	Ⓕ01787-379005	VISA M/C
The George & Dragon Inn ジョージ& ドラゴン・イン	イン	£	Hill St. Long Melford CO10	☎01787-371285	Ⓕ01787-312428	VISA M/C JCB

LAVENHAM ≷SUDBURY　ラヴェナム

Name	Type	Price	Address	Tel	Fax	Cards
The Angel エンジェル	B & B	££	Market Pl. Lavenham CO10	☎01787-247388	Ⓕ01787-248344	VISA M/C AMEX
The Great House グレート・ハウス	B & B	££	Market Pl. Lavenham CO10	☎01787-247431	Ⓕ01787-248007	VISA M/C AMEX JCB
The Red House レッド・ハウス	B & B	£	29 Bolton St. Lavenham CO10	☎01787-248074		
The Swan スワン	ホテル	£££	High St. Lavenham CO10 P70参照	☎01787-247477	Ⓕ01787-248286	VISA M/C AMEX D JCB

NEWMARKET ≷NEWMARKET　ニューマーケット

Name	Type	Price	Address	Tel	Fax	Cards
The Bechers ベチャーズ	B & B	£	Creveland House, Hamilton Rd. Newmarket CB8	☎01638-666546	Ⓕ01638-561989	

▼南イングランド

田舎町の宿泊リスト

宿泊施設	種類	料金	住所 / 電話	FAX	カード	参照
Beechcroft Guest House ビーチクロフト・ゲストハウス	B & B	£	11/13 Park Lane, Newmarket CB8 / ☎01638-669213		VISA M/C	
Rutland Arms Hotel ラトランド・アームズ	ホテル	£££	High St. Newmarket CB8 / ☎01638-664251	Ⓕ01638-666298	VISA M/C AMEX D	P73参照
ORFORD ≷WOODBRIDGE						オーフォード
The Crown & Castle クラウン&カースル	ホテル	££	Orford IP12 / ☎01394-450205	Ⓕ01394-450176	VISA M/C AMEX D	P75参照
RYE ≷RYE						ライ
The George Hotel ジョージ	ホテル	££	High St. Rye TN31 / ☎01797-222114	Ⓕ01797-224065	VISA M/C AMEX D	P82参照
Jeake's House ジークス・ハウス	B & B	££	Mermaid St. Rye TN31 / ☎01797-222828	Ⓕ01797-222623	VISA M/C	P82参照
The Mermaid Inn マーメイド・イン	イン	£££	Mermaid St. Rye TN31 / ☎01797-223065	Ⓕ01797-225069	VISA M/C AMEX D JCB	
Mint Lodge ミント・ロッジ	B & B	£	38 The Mint, Rye TN31 / ☎/Ⓕ01797-223268		VISA M/C	
White Vine House ホワイト・ヴァイン・ハウス	ホテル	££	High St. Rye TN31 / ☎01797-224748	Ⓕ01797-223599	VISA M/C AMEX D JCB	
DORCHESTER ≷DORCHESTER SOUTH						ドーチェスター
The Casterbridge Hotel カスターブリッジ	ホテル	££	49 High East St. Dorchester DT1 / ☎01305-264043	Ⓕ01305-260884	VISA M/C AMEX D	P86参照
The Old Rectory オールド・レクトリー	B & B	£	Winterbourne Steepleton, Dorchester DT2 / ☎01305 889468	ⒻTELと同じ		
Wessex Royale Hotel ウェセックス・ロイヤル	ホテル	££	32 High West St. Dorchester DT1 / ☎01305-262660	Ⓕ01305-251941	VISA M/C AMEX D	
Westwood House Hotel ウェストウッド・ハウス	ホテル	££	29 High West St. Dorchester DT1 / ☎01305-268018	Ⓕ01305-250282	VISA M/C AMEX D	
LYME REGIS ≷AXMINSTER						ライム・リージス
Alexandra Hotel アレクサンドラ	ホテル	£££	Pound St. Lyme Regis DT7 / ☎01297-442010	Ⓕ01297-443229	VISA M/C AMEX D	
Buena Vista Hotel ブエナ・ビスタ	ホテル	££	Pound St. Lyme Regis DT7 / ☎01297-442494		VISA M/C JCB	
The Dower House Hotel ダワー・ハウス	B & B	££	Rousdon, Lyme Regis DT7 / ☎01297-21047	Ⓕ01297-24748	VISA M/C AMEX	P90参照
Mariner's Hotel マリナーズ	イン	££	Silver St. Lyme Regis DT7 / ☎01297-442753	Ⓕ01297-442431	VISA M/C	
Royal Lion Hotel ロイヤル・ライオン	ホテル	££	Broad St. Lyme Regis DT7 / ☎01297-445622	Ⓕ01297-445859	VISA M/C AMEX D	
ARUNDEL ≷ARUNDEL						アランデル
Amberley Castle アンバリー・カースル	マナーハウス	££££	Amberley, Nr Arundel BN18 / ☎01798-831992	Ⓕ01798-831998	VISA M/C AMEX D	
Arundel House アランデル・ハウス	ホテル	£	11 High St. Arundel BN18 / ☎01903-882136		VISA M/C	
Norfolk Arms Hotel ノーフォーク・アームズ	ホテル	££	High St. Arundel BN18 / ☎01903-882101	Ⓕ01903-884275	VISA M/C AMEX D	
The Swan Hotel スワン	B & B	££	27/39 High St. Arundel BN18 / ☎01903-882314	Ⓕ01903-883759	VISA M/C AMEX D	P94参照

ロンドンから行く田舎町

企画・プロデュース *Project Producer*	**丸茂和博** *Kazuhiro Marumo*
編集・制作 *Editorial / Production*	**クロスメディア（英国）** *Cross Media Ltd.* *13 Berners Street, London W1P 4BY U.K.* *TEL 020-7436-1960 FAX 020-7436-1930*
編集 *Editorial*	日原晶子 *Akiko Hibara*
文 *Text*	古谷亜矢子 *Ayako Furuya*
写真 *Photography*	山田　大 *Masaru Yamada*
イラスト *Illustrations*	山木純一郎 *Junichiro Yamaki*
地図イラスト文字 *Illustration Text*	長谷川志穂 *Shiho Hasegawa*
DTP制作 *DTP Production*	中村　亮 *Ryo Nakamura*
編集アシスタント *Editorial Assistant*	サイモン・ジョンソン *Simon Johnson*

発行者　諸角　裕
発行所　株式会社双葉社
〒162-8540　東京都新宿区東五軒町3-28
電話03-5261-4818（営業）
03-5261-4837（編集）
印刷　三晃印刷株式会社

ISBN4-575-28732-6 C0095

丸茂和博＋クロスメディア 編

ロンドンから行く田舎町

双葉社